PICCOLA BIBLIOTECA ADELPHI

332

DELLO STESSO AUTORE:

1912 + 1
A ciascuno il suo
Alfabeto pirandelliano
Candido
Cronachette
Cruciverba
Dalle parti degli infedeli
Fatti diversi di storia letteraria e civile
Fine del carabiniere a cavallo
Gli zii di Sicilia
I pugnalatori
Il cavaliere e la morte
Il Consiglio d'Egitto
Il contesto
Il fuoco nel mare
Il giorno della civetta
Il mare colore del vino
Il teatro della memoria - La sentenza memorabile
L'adorabile Stendhal
L'onorevole - Recitazione della controversia liparitana
dedicata ad A. D. - I mafiosi
La corda pazza
La scomparsa di Majorana
La Sicilia, il suo cuore - Favole della dittatura
La strega e il capitano
Le parrocchie di Regalpetra
Morte dell'inquisitore
Nero su nero
Occhio di capra
Opere, I
Opere, II
Per un ritratto dello scrittore da giovane
Pirandello e la Sicilia
Porte aperte
Todo modo
Una storia semplice

Leonardo Sciascia

L'AFFAIRE MORO

CON AGGIUNTA
LA RELAZIONE PARLAMENTARE

ADELPHI EDIZIONI

© 1994 ADELPHI EDIZIONI S.P.A. MILANO
WWW.ADELPHI.IT

ISBN 978-88-459-1083-8

Anno					Edizione					
2019	2018	2017	2016		16	17	18	19	20	21

INDICE

L'AFFAIRE MORO   9

Cronologia dell'*Affaire*   149

Relazione di minoranza presentata
    dal deputato Leonardo Sciascia   159

L'AFFAIRE MORO

La frase più mostruosa di tutte: qualcuno è morto « al momento giusto ».

E. CANETTI, *La provincia dell'uomo*

Ieri sera, uscendo per una passeggiata, ho visto nella crepa di un muro una lucciola. Non ne vedevo, in questa campagna, da almeno quarant'anni: e perciò credetti dapprima si trattasse di uno schisto del gesso con cui erano state murate le pietre o di una scaglia di specchio; e che la luce della luna, ricamandosi tra le fronde, ne traesse quei riflessi verdastri. Non potevo subito pensare a un ritorno delle lucciole, dopo tanti anni che erano scomparse. Erano ormai un ricordo: dell'infanzia allora attenta alle piccole cose della natura, che di quelle cose sapeva fare giuoco e gioia. Le lucciole le chiamavamo *cannileddi di picuraru,* così i contadini le chiamavano. Tanto consideravano greve la vita del pecoraio, le notti passate a guardia della mandria, che gli largivano le lucciole come reliquia o memoria di luce nella paurosa oscurità. Paurosa per gli abigeati frequenti. Paurosa perché bambini erano di solito quelli che si lasciavano a guardia delle pecore. Le candeline del pecoraio, dunque. E ogni tanto ne prendevamo qualcuna, la tenevamo delicatamente chiusa nel pugno per poi aprirne a sorpresa, tra i più piccoli di noi, quella fosforescenza smeraldina.

11

Era proprio una lucciola, nella crepa del muro. Ne ebbi una gioia intensa. E come doppia. E come sdoppiata. La gioia di un tempo ritrovato – l'infanzia, i ricordi, questo stesso luogo ora silenzioso pieno di voci e di giuochi – e di un tempo da trovare, da inventare. Con Pasolini. Per Pasolini. Pasolini ormai fuori del tempo ma non ancora, in questo terribile paese che l'Italia è diventato, mutato in se stesso («Tel qu'en Lui-même enfin l'éternité le change»). Fraterno e lontano, Pasolini per me. Di una fraternità senza confidenza, schermata di pudori e, credo, di reciproche insofferenze. Per mia parte, sentivo come un muro che ci separasse una parola a lui cara, una parola-chiave della sua vita: la parola «adorabile». Può darsi che questa parola io l'abbia qualche volta scritta, e sicuramente più volte l'ho pensata: ma per una sola donna e per un solo scrittore. E lo scrittore – forse è inutile dirlo – è Stendhal. Pasolini trovava invece «adorabile» quel che per me dell'Italia era già straziante (ma anche per lui, ricordando un «adorabili perché strazianti» delle *Lettere luterane*: e come si può adorare ciò che strazia?) e sarebbe diventato terribile. Trovava «adorabili» quelli che inevitabilmente sarebbero stati strumenti della sua morte. E attraverso i suoi scritti si può compilare come un piccolo dizionario delle cose per lui «adorabili» e per me soltanto strazianti e oggi terribili.

Le lucciole, dunque. Ed ecco che – pietà e

speranza – qui scrivo per Pasolini, come riprendendo dopo più che vent'anni una corrispondenza: «Le lucciole che credevi scomparse, cominciano a tornare. Ne ho vista una ieri sera, dopo tanti anni. Ed è stato così anche con i grilli: per quattro o cinque anni non li ho sentiti, ora le notti sono sterminatamente gremite del loro frinire».

Le lucciole. Il *Palazzo*. Pasolini voleva processare il *Palazzo* quasi in nome delle lucciole. Per le lucciole scomparse. «Poiché sono uno scrittore, e scrivo in polemica, o almeno discuto, con altri scrittori, mi si lasci dare una definizione di carattere poetico-letterario di quel fenomeno che è successo in Italia una diecina di anni fa. Ciò servirà a semplificare e ad abbreviare il nostro discorso (e probabilmente a capirlo anche meglio). Nei primi anni sessanta, a causa dell'inquinamento dell'aria, e, soprattutto, in campagna, a causa dell'inquinamento dell'acqua (gli azzurri fiumi e le rogge trasparenti) sono cominciate a scomparire le lucciole. Il fenomeno è stato fulmineo e folgorante. Dopo pochi anni le lucciole non c'erano più. (Sono ora un ricordo, abbastanza straziante, del passato: e un uomo anziano che abbia un tale ricordo, non può riconoscere nei nuovi giovani se stesso giovane, e dunque non può più avere i bei rimpianti di una volta).

«Quel "qualcosa" che è accaduto una diecina di anni fa lo chiamerò dunque "scomparsa delle lucciole".

« Il regime democristiano ha avuto due fasi assolutamente distinte, che non solo non si possono confrontare tra loro, implicandone una certa continuità, ma sono diventate addirittura storicamente incommensurabili.

« La prima fase di tale regime (come giustamente hanno sempre insistito a chiamarlo i radicali) è quella che va dalla fine della guerra alla scomparsa delle lucciole, la seconda fase è quella che va dalla scomparsa delle lucciole a oggi ».

E ancora: « Nella fase di transizione – ossia "durante la scomparsa delle lucciole" – gli uomini di potere democristiani hanno quasi bruscamente cambiato il loro modo di esprimersi, adottando un linguaggio completamente nuovo (del resto incomprensibile come il latino): specialmente Aldo Moro: cioè (per una enigmatica correlazione) colui che appare come il meno implicato di tutti nelle cose orribili che sono state organizzate dal '69 a oggi, nel tentativo, finora formalmente riuscito, di conservare comunque il potere ».

Le lucciole. Il *Palazzo*. Il processo al *Palazzo*. E come se, dentro al *Palazzo*, tre anni dopo la pubblicazione sul « Corriere della sera » di questo articolo di Pasolini, soltanto Aldo Moro continuasse ad aggirarsi: in quelle stanze vuote, in quelle stanze già sgomberate. Già sgomberate per occuparne altre ritenute più sicure: in un nuovo e più vasto *Palazzo*. E più sicure, s'intende, per i peggiori. « Il meno im-

plicato di tutti», dunque. In ritardo e solo: e
aveva creduto di essere una guida. In ritardo
e solo appunto perché «il meno implicato di
tutti». E appunto perché «il meno implicato
di tutti» destinato a più enigmatiche e tragiche correlazioni.

Prima che in questo articolo – pubblicato sul «Corriere» il 1° febbraio 1975 col titolo *Il vuoto del potere in Italia* e poi raccolto negli *Scritti corsari* col titolo che la memoria di coloro che l'avevano letto ormai gli dava: *L'articolo delle lucciole* – Pasolini aveva parlato del linguaggio di Moro in articoli e note di linguistica (e si veda il libro *Empirismo eretico*). Ma qui, nell'*articolo delle lucciole*, la sua attenzione a Moro, al linguaggio di Moro, affiora in un contesto più avvertito e preciso, dentro una più vasta e disperata visione delle cose italiane.

«Come sempre – dice Pasolini – solo nella lingua si sono avuti dei sintomi». I sintomi del correre verso il vuoto di quel potere democristiano che era stato, fino a dieci anni prima, «la pura e semplice continuazione del regime fascista». Nella lingua di Moro, nel suo linguaggio completamente nuovo e però, nell'incomprensibilità, disponibile a riempire quello spazio da cui la Chiesa cattolica ritraeva il suo latino proprio in quegli anni. E non poteva dirsi uno scambio, una sostituzione? E poi, lapalissianamente: il latino è incomprensibile per chi non sa il latino. Pasolini non sa decifrare il latino di Moro, quel «linguaggio completamente nuovo»: ma intuisce che in quella incomprensibilità, dentro quel vuoto in cui viene pronunciata e risuona, si è stabilita una «enigmatica correlazione» tra Moro e *gli altri*; tra colui che meno avrebbe dovuto cercare e sperimentare un nuovo latino (che è ancora il «latinorum» che fa scattare d'impazienza Renzo Tramaglino) e coloro che invece necessariamente, per sopravvivere sia pure come automi, come maschere, dovevano avvolgervisi. In questo breve inciso di Pasolini – «per una enigmatica correlazione» – c'è come il presentimento, come la prefigurazione dell'*affaire* Moro. Ora sappiamo che la «correlazione» era una «contraddizione»: e Moro l'ha pagata con la vita. Ma prima che lo assassinassero, è stato costretto, si è costretto, a vivere per circa due mesi un atroce contrappasso: sul suo «linguaggio completamente nuovo», sul suo nuovo latino incomprensibile quanto l'antico. Un contrappasso diretto: ha dovuto tentare di *dire* col linguaggio del *nondire*, di *farsi capire* adoperando gli stessi strumenti che aveva adottato e sperimentato per *non farsi capire*. Doveva comunicare usando il linguaggio dell'incomunicabilità. Per necessità: e cioè per censura e per autocensura. Da prigioniero. Da spia in territorio nemico e dal nemico vigilata.

Ma prima di parlare dei *documenti del contrappasso,* e cioè delle lettere attraverso cui Moro tentò di comunicare con *gli altri* che credeva

17

«suoi» – e non aveva per loro, alibi o maschera, inventato quel linguaggio completamente nuovo? – bisogna dire del nemico, dei carcerieri. E principalmente riconoscere a questo nemico, a questi carcerieri, un'etica che appunto si potrebbe dire carceraria: maturata sulla lettura – o sul sentito dire – dei testi di Foucault o foucaultiani (anche se di una simile etica o di un simile formalismo si possono reperire esempi più rozzi nel brigantaggio meridionale politico e non). Figli, nipoti o pronipoti del comunismo stalinista, gli uomini delle Brigate rosse hanno però respirato la polemica del «sorvegliare e punire» e introdotta questa esile vena libertaria nella loro pietrificata ideologia. Per questa polemica, la loro prigione non può e non deve essere una ripetizione delle prigioni dello *Stato Imperialista delle Multinazionali* (le maiuscole servono a cavarne la sigla SIM: e ci sarebbe da fare un discorso sulle tante sigle che come ninfee in uno stagno galleggiano nella *Risoluzione della direzione strategica delle Brigate rosse*); il loro sorvegliare non può e non deve riuscire ad effetti di alienazione e di annientamento quali si conseguono, sui prigionieri di tempra non eccezionale o di non rigorosa preparazione morale e ideologica, nelle carceri del SIM. Un lungo paragrafo della *Risoluzione* è dedicato alla «ristrutturazione del carcerario» in Italia: come se in Italia fosse davvero possibile ristrutturare qualcosa e come se fosse una novità che l'obiettivo del «carcerario» (parola che dà brivido: quasi una elevazione del carcere a categoria dell'esistenza) sia quello di conseguire sul prigioniero politico, attraverso l'annientamento fisico, la distruzione appunto della identità politica. Silvio Pellico e Luigi Settembrini hanno scritto qualcosa di molto simile a quel che la direzione strategica delle Brigate rosse comprime nel paragrafo D della *Risoluzione*.

I brigatisti rossi recentemente processati dalla Corte d'Assise di Torino, hanno rivendicato – ad affermazione della loro umanità nel trattamento di un prigioniero, della loro diversità – il fatto che al giudice Sossi, detenuto nella loro «prigione del popolo», preparavano il risotto. Questa nota gastronomica, familiare, casalinga può sembrare dissonante e quasi comica dentro un insieme di fatti micidiali. Ma non è; e serve anzi a spiegare certe incongruenze, certi disorientanti comportamenti delle Brigate rosse nell'*affaire* Moro. E principalmente: il loro zelo diciamo postale, alquanto eccessivo ed eccessivamente rispettoso, da un certo punto in poi, della segretezza. Nell'arco dell'*affaire*, recapitando, non senza rischio, da cinquanta a settanta lettere di Moro (minimo e massimo che danno i bene informati) i brigatisti non solo hanno tenuto in funzione e tensione – con prevalente gratuità – le loro risorse logistiche, ma pare si siano fatto preciso scrupolo di osservare la norma costituzionale relativa al segreto postale, alla inviolabilità della corrispondenza tra i liberi cittadini di un libero paese. Da un certo punto in poi, come si è detto. Poiché nel terzo comunicato, che accompagnava la prima lettera di Moro dalla «prigione del popolo» (quella diretta al ministro degli Interni Francesco Cossiga), le Brigate rosse avevano affermato un diverso principio: «Ha chiesto (*Moro*) di scrivere una lettera segreta (le manovre occulte sono la normalità per la mafia democristiana) al governo ed in particolare al capo degli sbirri Cossiga. Gli è stato concesso, ma siccome niente deve essere nascosto al popolo ed è questo il nostro costume, la rendiamo pubblica». Così decisamente affermato il 29 marzo, il principio tacitamente decade il 30 aprile: giorno in cui si ha notizia che lettere di Moro sono state recapitate a Leone, Andreotti, Ingrao, Fanfani, Misasi, Piccoli e Craxi. Di queste sette lettere, la prima viene pubblicata per volontà dello stesso Moro, che l'ha indirizzata alla stampa «con preghiera di cortese urgente trasmissione al suo illustre destinatario»; e quella diretta a Craxi perché in quel momento rendeva alla posizione assunta dal PSI. Coloro che avevano interesse a non far conoscere il contenuto delle lettere ricevute, hanno potuto tenerle segrete: nella distrazione o nella deroga delle Brigate rosse rispetto a quel loro costume, solennemente affermato, di nulla

20

nascondere al popolo. E sarebbe da ingenui credere davvero a una distrazione o a una conversione alla osservanza del segreto postale. Ci sarà stata una ragione, un calcolo. Ma tant'è che da un certo punto in poi non sono le Brigate rosse a render pubbliche le lettere di Moro. In quanto alla gratuità, e cioè alla mancanza di scopo e di utile con cui assolsero buona parte del lavoro postale, si può ragionevolmente esser certi. E si consideri, ad esempio, il fatto che un uomo delle Brigate rosse ha rischiato la vita per recapitare una lettera come questa:

Mia carissima Noretta,

desidero farti giungere nel giorno di Pasqua, a te ed a tutti, gli auguri più fervidi e affettuosi con tanta tenerezza per la famiglia ed il piccolo in particolare. Ricordami ad Anna che avrei dovuto vedere oggi. Prego Agnese, di farti compagnia la notte. Io discretamente, bene alimentato ed assistito con premura.
Vi benedico, invio tante cose care a tutti e un forte abbraccio.

Aldo

Dove c'è una sola cosa che poteva in qualche modo servire, propagandisticamente servire, alle Brigate rosse: ed è lo stare «discretamente» del prigioniero: «bene alimentato ed assistito con premura». E forse preparavano anche a lui il risotto, come al giudice Sossi.

21

Ma nemmeno questa lettera venne, da parte loro, resa pubblica. E si può forse avanzare una ipotesi: che nell'etica carceraria delle Brigate rosse ci sia stato un prima e un dopo la condanna: e che Aldo Moro sia stato considerato uomo pubblico durante il processo, e quindi senza nessun diritto al segreto; e non più dopo la sentenza: condannato a morte che tra la sentenza e l'esecuzione vive in una sua sfera di sentimenti e risentimenti ormai assolutamente personali, assolutamente privati. E tanto più che a rendere personali e privati i sentimenti e i risentimenti di Moro concorreva l'intero partito della Democrazia Cristiana con la sua silenziosa ma unanimemente dura «fin de non recevoir» delle direttive impartite dal suo presidente «impedito» (ed è stupefacente il silenzio dei giuristi e «paglietta» di cui l'Italia abbonda, di solito sempre pronti ad esaminare per dritto e per rovescio ogni questione, di fronte alla decisione di Moro «di convocare per data conveniente e urgente il Consiglio Nazionale» della Democrazia Cristiana al fine di deliberare «circa i modi per rimuovere gli impedimenti del suo Presidente»). Comunque, par certo che un uomo delle Brigate rosse ha corso un grande rischio soltanto per far giungere gli auguri pasquali di Moro alla sua famiglia. E si può oggi dire – retrospettivamente e statisticamente – che il margine di rischio era minimo e solo casualmente poteva insorgere; o addirittura inesistente, considerando la nessuna resa delle azioni che la polizia condusse. Ma, al momento, quelle azioni erano tanto conclamate dalla stampa e dalla radiotelevisione, così decise, decisive e numerose apparivano, che si poteva anche nutrire l'illusione, e dalla parte delle Brigate rosse il timore, dovessero sortire un qualche effetto.

Insomma: che Aldo Moro, dicendo di essere « bene alimentato ed assistito con premura », abbia fatto piaggeria nei riguardi dei suoi carcerieri o detto cosa non vera per dare una certa tranquillità ai familiari, non è da credere. Compatibilmente alla loro necessità di un nascondiglio sicuro e ai loro mezzi, le Brigate rosse davvero avranno cercato di rendere la « prigione del popolo » diversa da quella del SIM di cui hanno immagine o esperienza. Una prigione che non operasse la distruzione della « identità politica e personale » del detenuto. Una prigione come quella che ci rappresenta, della Firenze del Rinascimento, la *Novella del Grasso Legnaiuolo* o, della Palermo borbonica, la commedia *I mafiusi della Vicaria*: una prigione, insomma, di prima che la prigione diventasse oggetto della ragione, problema. E del resto, nel caso di Moro, il loro interesse era di svelare e analizzare quella identità integralmente, non di disgregarla o sostituirla. Moro bisognava continuasse ad essere se stesso nella « prigione del popolo ». Al di là della necessaria reclusione – una reclusione che comprendeva anche loro – nessuna costrizione, dunque, nessuna violenza fisica, psichica o farmacologica. E al minimo, anche, avranno esercitato censura sulle sue lettere. Ma di questa etica Moro non si rese conto o non si fidò: e perciò – tranne che in una delle ultime lettere pubblicate – disperatamente e lucidamente si autocensurò, adattando alla funzione del *dire* il suo linguaggio del *nondire*.

Uno dei racconti più straordinari che Borges abbia scritto è quello che, nelle *Ficciones*, s'intitola *Pierre Menard, autore del «Chisciotte»*.

Come tutte le cose che sembrano assolutamente fantastiche, di pura astrazione e misteriose, questo racconto parte da un dato reale, da un fatto, da un preciso avvenimento che quello che si usa denominare il mondo occidentale ha, se non conosciuto, respirato. Quest'avvenimento è la pubblicazione, nel 1905, della *Vida de Don Quijote y Sancho* di Miguel de Unamuno. Da quel momento non fu più possibile leggere il *Don Chisciotte* come Cervantes l'aveva scritto: l'interpretazione unamuniana, che sembrava trasparente come un cristallo rispetto all'opera di Cervantes, era in effetti uno specchio: di Unamuno, del tempo di Unamuno, del sentimento di Unamuno, della visione del mondo e delle cose spagnole che aveva Unamuno. Da allora si è letto il *Don Chisciotte* di Unamuno credendo di leggere ancora il *Don Chisciotte* di Cervantes: e di fatto leggendo quello di Cervantes.

Circa mezzo secolo dopo, Borges scriveva di Pierre Menard (e sarebbe un bel caso, e puramente borgesiano, se Borges dicesse di non aver per nulla pensato a Unamuno!): uno scrittore francese che, accanto ad un'esile opera letteraria «visibile», ne lascia una non compiuta ma eroica, ma impareggiabile – e «invisibile»: la composizione non di un «altro» *Don Chisciotte* ma «del» *Don Chisciotte.* Del *Don Chisciotte* di Cervantes. In tutto eguale. E in tutto diverso. «Il raffronto tra la pagina di Cervantes e quella di Menard è senz'altro rivelatore. Il primo, per esempio, scrisse (*Don Chisciotte*, parte I, capitolo IX): ... *la verità, la cui madre è la storia, emula del tempo, deposito delle azioni, testimone del passato, esempio e notizia del presente, avviso dell'avvenire.* Scritta nel secolo XVII, scritta dall'*ingenio lego* Cervantes, questa enumerazione è un mero elogio retorico della storia. Menard, per contro, scrive: ... *la verità, la cui madre è la storia, emula del tempo, deposito delle azioni, testimone del passato, esempio e notizia del presente, avviso dell'avvenire.* La storia, *madre* della verità; l'idea è meravigliosa. Menard, contemporaneo di William James, non vede nella storia l'indagine della realtà, ma la sua origine. La verità storica, per lui, non è ciò che avvenne, ma ciò che noi giudichiamo che avvenne. Le clausole finali – *esempio e notizia del presente, avviso dell'avvenire* – sono sfacciatamente pragmatiche».

Questo racconto, questo apologo, mi si è riacceso nella memoria appena ho finito di dare un sommario ordine alle cronache e ai documenti dell'*affaire* Moro. Si adeguava all'in-

26

vincibile impressione che l'*affaire* Moro fosse già stato scritto, che fosse già compiuta opera letteraria, che vivesse ormai in una sua intoccabile perfezione. Intoccabile se non al modo di Pierre Menard: mutando tutto senza nulla mutare. E parodiando banalmente Borges: *Il 16 marzo 1978, qualche minuto prima delle nove, l'onorevole Aldo Moro, presidente della Democrazia Cristiana, esce dal portone numero 79 di via del Forte Trionfale. Sono ad attenderlo la 130 blu di rappresentanza e un'alfetta bianca con la scorta. Il presidente deve prima recarsi al Centro Studi della Democrazia Cristiana e poi, alle dieci, alla Camera dei deputati, dove l'onorevole Andreotti presenterà il nuovo governo e ne dichiarerà il programma. Di questo nuovo governo, che sarà il primo governo democristiano sorretto anche dai voti comunisti, l'onorevole Moro è stato accorto e paziente artefice. Ma c'è inquietudine sia nel Partito Comunista, deluso dalla presenza nel nuovo governo di vecchi e non molto stimati uomini della Democrazia Cristiana, sia in quella parte della Democrazia Cristiana che teme il realizzarsi del cosidetto compromesso storico.* Scritta – e letta – subito dopo il rapimento, questa è una pura cronaca di quel che l'onorevole Moro stava facendo e aveva in programma di fare. Per contro, se oggi scrivo: *Il 16 marzo 1978, qualche minuto prima delle nove, l'onorevole Aldo Moro esce dal portone numero 79 di via del Forte Trionfale. Sono ad attenderlo la 130 blu di rappresentanza e un'alfetta bianca con la scorta. Il presidente deve prima recarsi al Centro Studi della De-*

mocrazia Cristiana e poi, alle dieci, alla Camera dei deputati, dove l'onorevole Andreotti presenterà il nuovo governo e ne dichiarerà il programma. Di questo nuovo governo, che sarà il primo governo democristiano sorretto anche dai voti comunisti, l'onorevole Moro è stato accorto e paziente artefice. Ma c'è inquietudine sia nel Partito Comunista, deluso dalla presenza nel nuovo governo di vecchi e non molto stimati uomini della Democrazia Cristiana, sia in quella parte della Democrazia Cristiana che teme il realizzarsi del cosidetto compromesso storico; se oggi scrivo questo – le stesse parole e nello stesso ordine – per me e per il lettore tutt'altro ne sarà il senso. Si è come spostato il centro di gravità: dall'onorevole Moro, che usciva di casa ignaro dell'agguato, alla Camera dei deputati dove l'assenza dell'onorevole Moro avrebbe rapidamente prodotto quel che la sua presenza difficoltosamente avrebbe conseguito: e cioè quell'acquietamento e quella concordia per cui il quarto governo presieduto dall'onorevole Andreotti veniva approvato senza discussione alcuna. Al dramma del rapimento si è come sostituito – per quel che volgarmente è detto « il senno del poi » – il dramma che l'assenza dell'onorevole Moro dal Parlamento, dalla vita politica, è *più producente* – in una determinata direzione – della sua presenza. E direbbe Pirandello: « il dramma, signori, è tutto qui ».

Ma il richiamo all'apologo di Borges vuole essere meno superficiale, meno parodistico.

Perché l'impressione che l'*affaire* Moro sia già stato scritto, che viva in una sfera di intoccabile perfezione letteraria, che non si possa che fedelmente riscriverlo e però, riscrivendolo, mutar tutto senza nulla mutare? Le ragioni sono tante; e non tutte decifrabili. È da dire, intanto, che, come il *Don Chisciotte*, l'*affaire* Moro si svolge irrealmente in una realissima temperie storica e ambientale. Allo stesso modo che don Chisciotte dai libri della cavalleria errante, Moro e la sua vicenda sembrano generati da una certa letteratura. Ho ricordato Pasolini. Posso anche – non rallegrandomene ma nemmeno rinnegandoli – ricordare due miei racconti, almeno due: *Il contesto* e *Todo modo*. Nella *Storia della Democrazia Cristiana* di Giorgio Galli, pubblicata qualche mese prima dell'*affaire*, si legge: «Probabilmente una parte di questo personale dirigente (*della Democrazia Cristiana*), sino agli anni Cinquanta espresso dagli organi tipici della cultura e della formazione cattolica, comprende, a partire dagli anni Sessanta, un numero crescente di individui di diversa formazione, e forse persino non credenti (ma sempre praticanti). Comunque, l'ideologia ufficiale che cementa il blocco di potere nel quale la Democrazia Cristiana si viene sempre più trasformando, è una introiezione dei concetti e dei valori dello schema "eusebiano". Al culmine del processo degenerativo di questa sorta di filosofia della prassi conservatrice, Leonardo Sciascia ed Elio Petri sintetizzeranno, nel film *Todo modo*, la parabola di personaggi dei quali i relatori sulla socialità, già a questo congresso di Napoli (*1952*), sono in qualche modo emblematici». Una sintesi, una tirata di somma: ma nel vuoto di riflessione, di critica e persino di buon senso in cui la vita politica italiana si è svolta, le sintesi non potevano apparire che anticipazioni, che profezie; se non addirittura istigazioni. Lasciata, insomma, alla letteratura la verità, la verità – quando dura e tragica apparve nello spazio quotidiano e non fu più possibile ignorarla o travisarla – sembrò generata dalla letteratura. Dagli uomini politici del potere, o al potere vicini, gli uomini di lettere (preferibile «uomini di lettere» – di Voltaire e del suo tempo – a «intellettuali», termine di generica e imprecisa massificazione) ne furono accusati: e con una certa buonafede, con una certa innocenza, considerando che gli stessi uomini di lettere avrebbero ad un certo punto avuto l'allucinazione di aver generato quella realtà.

Ma procediamo ancora di un grado, a fronte dell'apologo di Borges. L'impressione che tutto nell'*affaire* Moro accada, per così dire, *in letteratura*, viene principalmente da quella specie di fuga dei fatti, da quell'astrarsi dei fatti – nel momento stesso in cui accadono e ancora di più contemplandoli poi nel loro insieme – in una dimensione di conseguenzialità immaginativa o fantastica indefettibile e da cui ridonda una costante, tenace ambiguità. Tanta perfezione può essere dell'immaginazione, della fantasia; non della realtà. E per dirla con una *boutade*: si può sfuggire alla polizia italiana – alla polizia italiana così come è istruita, organizzata e diretta – ma non al calcolo delle probabilità. E stando alle statistiche diffuse dal ministero degli Interni, relative alle operazioni condotte dalla polizia nel periodo che va dal rapimento di Moro al ritrovamento del cadavere, le Brigate rosse appunto sono sfuggite al calcolo delle probabilità. Il che è *verosimile*, ma non può essere *vero e reale* (Tommaseo, *Dizionario dei sinonimi*: «Per più intensione, le due voci s'uniscono, e dicesi: fatto vero e reale: e simili. *Reale* allora par che aggiunga a *vero*, né solo per pleonasmo: ecco come. Un fatto vero e reale non solamente è accaduto veramente, ma è propriamente accaduto quale si narra, qual parve, quale è creduto...»).

Nel farsi di ogni avvenimento che poi grandemente si configura c'è un concorso di minuti avvenimenti, tanto minuti da essere a volte impercettibili, che in un moto di attrazione e di aggregazione corrono verso un centro oscuro, verso un vuoto campo magnetico in cui prendono forma: e sono, insieme, il grande avvenimento appunto. In questa forma, nella forma che insieme assumono, nessun minuto avvenimento è accidentale, incidentale, fortuito: le parti, sia pure molecolari, trovano necessità – e quindi spiegazione – nel tutto; e il tutto nelle parti.
Uno di questi piccoli avvenimenti è nell'*affaire* Moro l'espressione «il grande statista» che ad un certo punto sostituisce il nome Moro o espressioni come «il presidente della Democrazia Cristiana», «il leader», «il grande leader», «il leader prestigioso»... Nei giornali del 18 marzo ci imbattiamo per la prima volta nella definizione di «statista» elargita a Moro: ma nella dichiarazione – è da presumere tradotta – del segretario generale dell'ONU («uno dei più eminenti statisti d'Italia»). La parola si riaffaccia sui giornali, ma sporadicamente, dopo il primo messag-

gio di Moro: la lettera al ministro degli Interni Cossiga. Il 18 aprile la si coglie, per la prima volta accompagnata dall'aggettivo « grande », nel messaggio del presidente Carter. Non sappiamo come suonasse nel testo originale; comunque l'espressione era quella che ci voleva, quella che si cercava, affinché ogni riferimento a Moro contenesse – sottaciuto ma effettuale – un confronto tra quel che era stato e quel che più non era. Era stato un « grande statista »; e ora altro non era che un uomo (parole sue, nella prima lettera dalla « prigione del popolo »: e saranno, fin oltre la conclusione della vicenda, le più citate) « sotto un dominio pieno e incontrollato ».

« Statista » è propriamente l'uomo dello Stato: colui che allo Stato, alla struttura che lo costituisce, alle leggi che lo regolano, devolve intelligente fedeltà, meditazione, studio; e « grande statista », ovviamente, colui che queste facoltà e attività devolve al massimo grado. E come era possibile ritrovare l'immagine del « grande statista » nei messaggi che Moro mandava dalla « prigione del popolo »? Le Brigate rosse lo avevano distrutto: al posto del « grande statista » c'era un uomo che forse subiva sevizie fisiche, forse veniva drogato e sicuramente viveva nell'incubo di una costante minaccia di morte in cui smarriva quel « senso dello Stato » che altamente aveva dimostrato di avere in più che trent'anni di attività politica.

Grande e spiccata menzogna, tra le tante in

quei giorni rigogliose. Né Moro né il partito da lui presieduto avevano mai avuto il « senso dello Stato ». L'idea dello Stato quale alcuni esponenti del Partito Comunista Italiano avevano cominciato ricattatoriamente ad agitare nel maggio dell'anno prima – idea che sembrava discendere e forse, per ragioni che qui ed ora non è il caso di esaminare, discendeva più dal lato destro che dal lato sinistro di Hegel – probabilmente aveva attraversato la mente di Aldo Moro soltanto negli anni giovanili, nell'agguerrirsi a quei ludi culturali che il regime fascista organizzava (i « littoriali »: e « littori » erano proclamati coloro che li vincevano): ma senza lasciar traccia nei suoi pensieri – o nel suo pensiero, se si vuole per lui rivendicare o ammettere una concezione ben definita ed articolata del fatto politico e del far politica. E figuriamoci nelle menti sicuramente meno ammobiliate – direbbe Savinio – di pensiero, e probabilmente di pensieri, di una gran parte di coloro cui Moro era guida ed esempio. E del resto il richiamo e la congenialità per cui almeno un terzo dell'elettorato italiano si riconosceva e si riconosce nel partito della Democrazia Cristiana appunto risiedono nell'assenza, in questo partito, di un'idea dello Stato: assenza rassicurante, e si potrebbe anche dire energetica.

In effetti, la polemica mossa l'anno avanti da alcuni esponenti del Partito Comunista Italiano contro chi mostrava di non amare sviscera-

tamente lo Stato – lo Stato italiano così com'e-
ra – fece da *ouverture* a quel melodramma di
amore allo Stato che sulla scena italiana gran-
diosamente si recitò dal 16 marzo al 9 maggio
del 1978. E vittime di questa grandiosa messa
in scena – come schiacciati dalle massicce
quinte, dai massicci fondali – sembravano essere coloro che non nutrivano grande amore
per lo Stato o per lo Stato italiano così com'e-
ra; ma la vera vittima ne era Aldo Moro.

Moro non era stato, fino al 16 marzo, un
«grande statista». Era stato, e continuò ad es-
serlo anche nella «prigione del popolo», un
grande politicante: vigile, accorto, calcolato-
re; apparentemente duttile ma effettualmente irremovibile; paziente ma della pazienza
che si accompagna alla tenacia; e con una visione delle forze, e cioè delle debolezze, che
muovono la vita italiana, tra le più vaste e sicure che uomo politico abbia avuto. E proprio in ciò stava la sua peculiarità: nel conoscere le debolezze e nell'avere adottato una
strategia che le alimentasse dando al tempo
stesso, a chi quelle debolezze portava, l'illusione che si fossero mutate in forza. E in questa sua strategia convergevano due esperien-
ze, ataviche e personali: il cattolicesimo italiano e quella versione, nella più cruda e feroce
quotidianità, del cattolicesimo italiano che è
la vita sociale (cioè asociale) del meridione
d'Italia. Strategia negli effetti paragonabile a
quella di Kutusof di fronte a Napoleone. E

più volte mi è avvenuto, quando Moro era in fortuna, di paragonarlo a Kutusof così come Tolstoi lo descrive e muove in *Guerra e pace*. E si pensi al capitolo XV della prima parte: al principe Andrea che rivede Kutusof immutato nella «espressione di stanchezza della faccia e della figura»; a Kutusof che con aria stanca e ironica ascolta quel Denissov, che ha un piano per tagliare i rifornimenti a Napoleone e salvare la patria, e poi lo interrompe chiedendogli se è parente dell'intendente generale Denissov; a Kutusof che «conosceva qualcosa d'altro, che doveva decidere le sorti della guerra» – qualcosa d'altro che non stava nei piani più o meno intelligenti, ma nella geografia e nel modo di essere del popolo russo.

A vederlo sullo schermo della televisione, Moro sembrava preda della più antica stanchezza, della più profonda noia. Soltanto a tratti, tra occhi e labbra, si intravedeva un lampeggiare d'ironia o di disprezzo: ma subito appannato da quella stanchezza, da quella noia. Ma si aveva il senso che conoscesse «qualcosa d'altro»: il segreto italiano e cattolico di disperdere il nuovo nel vecchio, di usare ogni nuovo strumento per servire regole antiche e, principalmente, di una conoscenza tutta in negativo, in negatività, della natura umana. Il che gli era al tempo stesso afflizione ed arma. Arma usata con dolore: visibilmente. Ma usata. Era, come dice Pasolini, «il meno implicato di tutti»: ma proprio l'essere il meno implicato gli dava, su tutti nella Democrazia Cristiana, l'incontrastabile e anzi alleviante autorità di parlare in nome di tutti: potere e insieme sacrificio. E fuori della Democrazia Cristiana, di fronte agli altri partiti e all'Italia intera, questa situazione funzionava nel senso della credibilità, della fiducia; e direi pateticamente.

Se un'idea ebbe Moro che somigliasse all'idea dello Stato, quest'idea stava come murata dentro la Democrazia Cristiana, dentro la medievale città – che sembrava aperta e indifesa, ma al momento del pericolo si rivelava munitissima, vigilata e sbarrata – della Democrazia Cristiana. E probanti tracce di questa idea si possono trovare nell'ultimo suo discorso in Parlamento: quello in difesa dell'onorevole Gui, senatore della Democrazia Cristiana, accusato di essere stato «partecipe e beneficiario», da ministro della Difesa, di un gravissimo illecito. E vale la pena stralciarne una breve antologia:

In questa posizione (*di difesa dell'onorevole Gui*) troviamo unita la Democrazia Cristiana ed intendiamo con essa difendere la Democrazia Cristiana nel suo insieme. Ci siamo divisi qualche volta, ma su cose minori, su cose opinabili. Quando però si è trattato di grandi temi, di grandi scelte, di grandi valori, noi non ci siamo divisi, ma semmai altri si sono divisi, a dimostrazione del fatto che obiettivamente l'area della verità era più ampia della nostra personale convinzione. Difendiamo dunque uniti la Democrazia Cristiana ... Non si tratta di un primato, quale che sia, della Democrazia Cristiana, il quale è del resto una fredda constatazione dei fatti, fatti importanti anche perché durevoli, il che dimostra che essi hanno non ragioni occasionali, ma radici storiche ... Quello che non accettiamo è che la nostra esperienza complessiva sia bollata con un marchio d'infamia in questa sorta di cattivo seguito di una campagna elettorale esasperata. Intorno al rifiuto dell'accusa che, in noi, tutti e tutto sia da condannare, noi facciamo quadrato davvero. Non so quanti siano a perseguire questo disegno politico, ma è questa, bisogna dirlo francamente, una prospettiva contraddittoria con una linea di collaborazione democratica (*ammonizione, questa, rivolta ai comunisti: e alquanto gratuitamente, poiché i comunisti volevano sì che Gui fosse rinviato a giudizio, ma si guardavano bene dal voler processare tutta la Democrazia Cristiana*). A chiunque voglia travolgere globalmente la nostra esperienza; a chiunque voglia fare un processo, morale e politico, da celebrare, come si è detto cinicamente, nelle piazze, noi rispondiamo con la più ferma reazione e con l'appello all'opinione pubblica che non ha riconosciuto in noi una colpa storica e non ha voluto che la nostra forza fosse diminuita ... Se avete un minimo di saggezza, della quale, talvolta, si sarebbe indotti a dubitare, vi diciamo fermamente di non sottovalutare la grande forza dell'opinione pubblica che, da più di tre decenni, trova nella Democrazia Cristiana la sua espressione e la sua difesa. Credo che essa non intenda rinunciare a questo modo di presenza, così come noi non pensiamo di rinunciare a questa forza, ai diritti che ne conseguono ed ai compiti che ci sono affidati. Si tratta di cose estremamente serie, ed è doveroso in questo momento riaffermare le ragioni della libertà e la necessaria integrità del paese nella sua sostanza sociale e politica.

E a voler ridurre ad essenzialità e chiarezza gli argomenti dell'onorevole Moro: la libertà e l'integrità del paese sono intangibili; la Democrazia Cristiana rappresenta la libertà e l'integrità del paese; la Democrazia Cristiana è intangibile. Sillogismo da cui rampolla quest'altro: l'immutato consenso elettorale dimostra che la Democrazia Cristiana non ha colpa; l'onorevole Gui è democristiano; l'onorevole Gui non ha colpa. E sarà magari l'onorevole Gui innocente rispetto alle specifiche imputazioni che gli sono state mosse; ma non pare che la sua personale innocenza possa rifulgere attraverso questi sillogismi. Questi sillogismi, trascendendo il problema della colpevolezza o innocenza dell'onorevole Gui, affermano una volta per tutte l'innocenza della Democrazia Cristiana: da far valere, volta per volta, come pregiudiziale innocenza dei singoli democristiani.
Bayle credeva che una repubblica di buoni cristiani non potesse durare. Montesquieu correggeva: «una repubblica di buoni cristia-

ni non può esistere». Ma una repubblica di
buoni cattolici italiani può esistere e durare.
Così.

A questa Democrazia Cristiana che ritrova la sua unità e compattezza nella difesa del singolo democristiano, a questo partito-famiglia, a questo partito che interpreta e rappresenta la «volontà generale» degli italiani anche se aritmeticamente ne rappresenta un terzo, Aldo Moro si rivolge dalla «prigione del popolo».

La sua prima lettera arriva la sera del 29 marzo, dalle Brigate rosse recapitata assieme al loro terzo comunicato. È indirizzata a Francesco Cossiga, ministro degli Interni. Moro scrive «in modo molto riservato». Indubbiamente la riservatezza gli è stata, dai suoi carcerieri, assicurata. Ma le Brigate rosse spiegano: «Ha chiesto di scrivere una lettera segreta (le manovre occulte sono la normalità per la mafia democristiana) al governo ed in particolare al capo degli sbirri Cossiga. Gli è stato concesso, ma siccome niente deve essere nascosto al popolo ed è questo il nostro costume, la rendiamo pubblica». Gli è stato concesso di scrivere una lettera, non una lettera segreta: anche se il segreto gliel'hanno promesso. E fa differenza.

La prima domanda da porsi è: perché al ministro degli Interni? Per quel che Moro propone, destinatario *ad hoc* avrebbe dovuto essere il ministro della Giustizia. Se poi avesse avuto quel famoso «senso dello Stato» di cui i giornali cominciavano a gratificarlo, si sarebbe rivolto al presidente del Consiglio o al presidente della Repubblica. Perché, dunque, al ministro degli Interni? Che lo considerasse tra «gli amici» il più amico, non è una risposta esauriente. Non ci sono, nella lettera, frasi destinate al solo Cossiga in quanto democristiano, in quanto amico. È da presumere, invece, ci siano delle frasi destinate a Cossiga in quanto ministro degli Interni, in quanto – per dirla col linguaggio delle Brigate rosse – «capo degli sbirri».

Caro Francesco,
mentre t'indirizzo un caro saluto, sono indotto dalle difficili circostanze a svolgere dinanzi a te, avendo presenti le tue responsabilità (che ovviamente rispetto), alcune lucide e realistiche considerazioni. Prescindo volutamente da ogni aspetto emotivo e mi attengo ai fatti. Benché non sappia nulla né del modo né di quanto accaduto dopo il mio prelevamento, è fuori discussione – mi è stato detto con tutta chiarezza – che sono considerato un prigioniero politico, sottoposto, come Presidente della DC, a un processo diretto ad accertare le mie trentennali responsabilità (processo contenuto ora in termini politici, che diventa sempre più stringente).
In tali circostanze ti scrivo in modo molto riserva-

42

to, perché tu e gli amici con alla testa il Presidente del Consiglio (informato ovviamente il Presidente della Repubblica) possiate riflettere opportunamente sul da farsi, per evitare guai peggiori.

Pensare dunque fino in fondo, prima che si crei una situazione emotiva ed irrazionale. Devo pensare che il grave addebito che mi viene fatto, si rivolge a me in quanto esponente qualificato della DC nel suo insieme nella gestione della sua linea politica. In verità siamo tutti noi del gruppo dirigente che siamo chiamati in causa, ed è il nostro operato collettivo che è sotto accusa e di cui devo rispondere. Nelle circostanze sopra descritte entra in gioco, al di là di ogni considerazione umanitaria che pure non si può ignorare, la ragione di Stato. Soprattutto questa ragione di Stato significa, riprendendo lo spunto accennato innanzi sulla mia attuale condizione, che io mi trovo sotto un dominio pieno ed incontrollato, sottoposto ad un processo popolare che può essere opportunamente graduato, che sono in questo stato avendo tutta la conoscenza e sensibilità che derivano dalla lunga esperienza, con il rischio di essere chiamato o indotto a parlare in maniera che potrebbe essere sgradevole e pericolosa in determinate situazioni.

Inoltre la dottrina per la quale il rapimento non deve arrecare vantaggi, discutibile già nei casi comuni, dove il danno del rapito è estremamente probabile, non regge in circostanze politiche, dove si provocano danni sicuri e incalcolabili non solo alla persona ma allo Stato. Il sacrificio degli innocenti in nome di un astratto principio di legalità, mentre un indiscutibile stato di necessità dovrebbe indurre a salvarli, è inammissibile. Tutti gli Stati del mondo si sono regolati in modo positivo, salvo Israele e la Germania, ma non per il caso Lorenz. E non si dica che lo Stato perde la faccia perché esso non ha saputo o potuto impedire il rapimento di un'alta personalità che significa qualcosa nella vita dello Stato.

Ritornando un momento indietro sul comportamento degli Stati, ricorderò gli scambi tra Breznev e Pinochet, i molteplici scambi di spie, l'espulsione dei dissenzienti dal territorio sovietico. Capisco come un fatto di questo genere, quando si delinea, pesi, ma si deve anche guardare lucidamente al peggio, che può venire. Queste sono le alterne vicende di una guerriglia, che bisogna valutare con freddezza bloccando l'emotività e riflettendo sui fatti politici. Penso che un preventivo passo della Santa Sede (o anche di altri? Chi?) potrebbe essere utile. Converrà che tenga d'intesa con il Presidente del Consiglio riservatissimi contatti con pochi qualificati capi politici, convincendo gli eventuali riluttanti. Un atteggiamento di ostilità sarebbe una astrattezza e un errore.

Che Iddio vi illumini per il meglio evitando che siate impantanati in un doloroso episodio, dal quale potrebbero dipendere molte cose. I più affettuosi saluti.

Il cavaliere Charles Auguste Dupin, l'investigatore di Poe, poneva a precetto di ogni investigazione la capacità di identificarsi, di immedesimarsi. Precetto assolutamente valido, anche al di fuori di quel genere letterario denominato «poliziesco», nella pratica; ma altrettanto assolutamente ricusato da ogni polizia se non a livello, per così dire, medio (di massa: come già, più di un secolo addietro, diceva il cavaliere Dupin). Nell'*affaire* Moro si presentava la necessità di un duplice processo di immedesimazione: con le Brigate rosse (la cui sempre indenne sicurezza nel muoversi, nel condurre spericolatissime azioni anche per il solo gusto della beffa e del simbolo, si spiega anche col loro far calcolo di quella *invisibilità dell'evidenza* di cui Dupin discorre nel racconto *La lettera rubata*) e con Moro, prigioniero che mandava dalla prigione messaggi da decifrare secondo quel che «gli amici» conoscevano di lui – pensieri, comportamenti, abitudini e idiosincrasie – e secondo immedesimazione alle condizioni in cui si trovava.

Il primo grado dell'immedesimazione non poteva dunque essere che questo: tentare di capire quel che tempestosamente poteva agitarsi in un uomo che, dopo circa due settimane di isolamento, stremato da interrogatori ed insonnie e tuttavia lucidissimo (e anche di quella lucidità in cui l'esaurirsi di energie ad un certo punto si rovescia), ha finalmente la possibilità di scrivere una lettera a colui che detiene gli uomini e i mezzi che potrebbero liberarlo da quella condizione. Ma una lettera cauta, reticente, sibillina; che dica quel che i carcerieri vogliono che dica e lasci intravedere qualcosa di quel che non gli permetterebbero di dire. E c'è da credere l'abbia pensata per ore e ore, nelle notti insonni, aspettando il momento in cui gli avrebbero concesso di scriverla: per tante ore quante almeno avrebbero dovuto spenderne «gli amici» e la polizia per decifrarla. Ed è pure da credere che gli interventi censori, se ci sono stati, sono stati minimi: facendo credito a Moro di aver capito quale fosse il giuoco delle Brigate rosse e come bisognasse, in cambio di quell'esiguo e precario margine di libertà, assecondarlo. Che fosse già da prima dell'opinione che uno Stato di diritto potesse e dovesse trattare scambio di prigionieri con bande eversive, che vi si convincesse per salvare la propria vita o che fingesse di esserne convinto, la cosa certa è questa: se Moro non si fosse mostrato in disposizione di collaborare al ricatto delle Brigate rosse, nessuna sua lettera sarebbe uscita dalla «prigione del popolo». E a me pare di potere affermare che, almeno nel momento in cui scriveva a Cossiga, e per il fatto stesso che scriveva al ministro degli Interni, Moro puntasse le proprie speranze su un'azione di forza (e di intelligenza) da parte della polizia: e che il raccomandato patteggiamento e scambio fosse per lui, grande temporeggiatore, il modo migliore, e il solo, per prender tempo – dandosi, se non la certezza, la speranza che la polizia non perdesse il proprio. Solo che la polizia lo perdeva, al di là di quanto Moro potesse immaginare.

Dando dunque per certo che Moro si rivolge

a Cossiga in quanto ministro degli Interni (non perché è il più amico tra «gli amici» o perché si trova a un vertice, per così dire, decisionale), ne discende ovviamente che nella lettera deve aver tentato di comunicare qualche elemento di cui si fosse reso conto e che potesse servire a orientare le ricerche per ritrovarlo.

Escludendo che nella lettera ci siano crittogrammi o che sia possibile decifrarla attraverso scomposizioni e ricomposizioni da codici spionistici, resta da applicare un solo e banalissimo codice: quello che chiamerei dell'insensatezza, del nonsenso. E la frase che nella lettera ha meno senso è questa: «Penso che un preventivo passo della Santa Sede (o anche di altri? Chi?) potrebbe essere utile». Un passo della Santa Sede presso le Brigate rosse! Niente di più assurdo. E poi, «preventivo»: che vuol dire?

Tentiamo di immedesimarci. Per la carica che tiene e per il momento in cui è avvenuto il suo «prelevamento», momento in cui una maggioranza stava per approvare in Parlamento la sua più accorta e paziente operazione politica, Moro è certo che la polizia sia stata come non mai mobilitata e lanciata in azioni vastissime e insieme capillari, massicce e al tempo stesso meticolose. Sa poi, per il tempo impiegato nel percorso dal luogo del «prelevamento» alla «prigione del popolo» (è impensabile, nella previsione di quel che si sa-

47

rebbe scatenato, che le Brigate rosse abbiano praticato un percorso allungato, per il prigioniero disorientante), di trovarsi ancora a Roma: e probabilmente questa sua certezza è confortata da un qualche segno acustico che i carcerieri non riescono a impedirgli di cogliere: il rumore del traffico, un suono di campane, un pulviscolo di voci... Mettendo assieme quello che presume e quello che sa, arriva a questa domanda: com'è possibile che la polizia non riesca a trovare la « prigione del popolo »? E la risposta che si dà è questa: la « prigione del popolo » si trova in un luogo insospettato e insospettabile, in un luogo inaccessibile alla polizia, in un luogo che gode di immunità. La Città del Vaticano? Un'ambasciata?

Non si vuole qui dire che Moro potesse davvero trovarsi nella Città del Vaticano o in qualche ambasciata. Si vuole soltanto dire che Moro può averlo pensato: nell'illusione che si faceva riguardo all'efficienza della polizia, all'intelligenza e volontà degli « amici ». Per mia parte, credo che anche la « prigione del popolo » si appartenesse a quella che io chiamo *invisibilità dell'evidenza* e che altri, sempre sulla *Lettera rubata* di Poe, ha chiamato *eccesso di evidenza*. L'immunità di cui godeva la « prigione del popolo » era dovuta, in buona parte se non totalmente, all'evidenza in cui si trovava. Ma un'evidenza concatenata ad altre evidenze: e tutte che fanno capo al concetto di clandestinità delle Brigate rosse.

Per quanto romanzesca possa apparire l'ipotesi che questa prima lettera di Moro contenga un'indicazione da servire alla polizia, bisogna comunque tener presenti questi elementi: è indirizzata al ministro degli Interni; il riferimento alla Santa Sede è incongruo da una parte, il solo che contenga riferimento a un luogo possibile come nascondiglio dall'altra; è il solo punto in cui il calmo argomentare assume una certa concitazione, una certa drammaticità: con quei due disperati punti interrogativi che sarebbe troppo facile – e cioè troppo difficile – spiegare soltanto nel senso letterale di un'ansiosa ricerca di mediazione. Tra l'altro, Moro sa benissimo di potere essere, al caso, il miglior mediatore possibile; come sa benissimo che un'organizzazione come Amnesty International andrebbe meglio, per trattare con le Brigate rosse, della Santa Sede.

E c'è da fare, su questa lettera a Cossiga, un'ultima osservazione: che se Moro avesse scritto soltanto questa, forse oggi la si interpreterebbe come una raccomandazione di fermezza, di non subire il ricatto, di non cedere allo scambio. Tanti elementi, se isolati, potrebbero farlo pensare: non ultimo quel richiamo, che non cade in taglio, allo scambio tra Breznev e Pinochet, e cioè tra due sistemi da lui non amati. O forse Moro voleva dire: lo scambio, il sottostare al ricatto, è l'estrema linea da toccare; intanto prendete tempo, trattate in lungo – e trovatemi.

Il giorno stesso del «prelevamento», l'onorevole Ugo La Malfa, leader del Partito Repubblicano, dichiara: «È una sfida allo Stato democratico. Bisogna reagire accettandola». La retorica nazionale, antica brace sotto la cenere, torna a divampare. «Il paese accetta la sfida» ne è, nei titoli dei giornali, la sintesi: tragicomica sintesi, a rivederli quattro mesi dopo e nel bilancio di un solo brigatista arrestato: quel Cristoforo Piancone che la guardia carceraria Lorenzo Cotugno riuscì, prima di abbattersi colpito a morte, a ferire.

Una delle tante ondate di retorica raggiunge e coinvolge la signora Eleonora Moro. Le viene attribuita la frase – da eroica donna dell'antica Roma e a segno «che l'antiquo valore ne l'italici cor' non è ancor morto» – «Mio marito non deve essere barattato in nessun caso». La signora Moro declina un tanto onore, smentisce. Ma l'apocrifo è da imputare soltanto al divampare della retorica? Non comincia proprio da lì, da quel momento, da quel falso, il giuoco dell'intransigenza, della durezza? Comunque: che muova da impeto retorico o da freddo e spietato calcolo, il tentativo di fare di lei una Volumnia – contro quel Coriolano che, chiedendo di essere riscattato, poteva diventare Moro – la signora Eleonora Moro prontamente lo respinge. Ma una frase così «bella», e sopratutto così utile, non bisognava farla dimenticare: e non potendo, per la decisa smentita, continuare ad attribuirgliela, si disse che la donna era ben degna di quella frase non detta, che ne era all'altezza, che quella frase era «sottintesa nella grande dignità civile del suo comportamento». Atroce mistificazione, tra le tante che si disegneranno sull'*affaire* e vi si compenetreranno a renderlo più atroce: e se ne ha come un riverbero di vergogna, continuando ad avere a che fare con la carta stampata.

Tutti i meccanismi da mettere in moto contro «l'infame ricatto» vengono messi a punto e lubrificati nell'attesa che «l'infame ricatto» venga avanzato. Ma non se ne parla nel primo comunicato delle Brigate rosse: quello che il 18 marzo, assieme a una fotografia di Moro, arriva a un giornale romano (l'immagine di Moro, che ha come fondo il drappo delle Brigate rosse, non è diversa, nell'espressione di stanchezza e di noia, e con un baluginare d'ironia tra la nebbia del tedio, di quella che milioni di telespettatori conoscono). Non se ne parla nel secondo. E nemmeno nel terzo, che accompagna la lettera di Moro a Cossiga. Le Brigate rosse hanno fatto in modo che «l'infame ricatto» apparisse voluto e sollecitato soltanto da Moro.

Gli avranno fatto credere di averle già avanzate, le loro richieste: ma senza esito o risposta. Era ora affar suo, di Moro, convincere «gli amici» del governo al baratto.

L'astuzia delle Brigate rosse, il raggiro in cui avevano preso Moro, era facilmente arguibile appunto come astuzia, come raggiro: dal tono stesso della lettera a Cossiga, che è di chi continua un discorso da altri cominciato o vi interviene. Ma nessuno si è dato la pena, mi pare, di farlo notare. Le Brigate rosse avevano interesse a che Moro apparisse il solo rogante e sollecitatore dello scambio cui poi loro, per clemenza e come a commutazione della condanna a morte, si sarebbero resi. Tremante davanti al loro processo, intanto. Da parte diciamo governativa, invece, l'interesse era di buttarsi subito sulla devastazione psichica e morale che le Brigate rosse avevano operato su Moro, riducendo l'uomo che aveva «il senso dello Stato», «il grande statista», a domandare che lo Stato abdicasse alla propria natura e funzione.

Ma Moro, che cosa veramente pensava e voleva Moro?

In primo luogo, voleva che la polizia lo trovasse: e perciò la trattativa, una lunga e tergiversante trattativa, gli sarà parsa – come sempre – il solo mezzo e modo che ne potesse compensare le carenze e i disguidi e portarla, per quantità di operazioni o per giusta informazione o per caso, alla «prigione del popolo». Intanto, purché «gli amici» dessero nel frattempo corda alla trattativa e la polizia si muovesse, il suo proposito era di resistere al processo, di non accettarlo: atteggiamento parallelo a quello dei brigatisti rossi davanti all'Assise di Torino.

Che – contrariamente a quanto le Brigate rosse affermano nel comunicato numero tre – Moro non collaborasse al processo e che «la completa collaborazione del prigioniero» si riducesse a un dialogare politico, pare di poterlo affermare non solo alla luce del comunicato numero sei (del 15 aprile), ma anche da quel che Moro dice a Cossiga e che si può attendibilmente tradurre in questi termini: il processo è per ora politico, e quindi altro non è che una discussione, cui posso tener testa, sulle mie convinzioni; diventerà più stringente quando si passerà a quei fatti specifici che investono specifiche e personali responsabilità; e allora, nonostante la mia volontà di non collaborare, bisogna tener presente che «mi trovo sotto un dominio pieno e incontrollato» e che mi si può indurre, con ogni mezzo, «a parlare in maniera che potrebbe essere sgradevole e pericolosa». Non è un ricatto: è una previsione e un timore.

In secondo luogo, al di là del temporeggiare e tergiversare di cui la polizia si sarebbe giovata, Moro pensava che lo scambio fosse da accettare «realisticamente», cioè per quella forza che ha la realtà di rendere possibili e lecite le cose che astrattamente non sono possibili e non sono lecite. E anche se non tutte le cose, almeno quelle in cui una vita umana è in giuoco. Una vita umana contro astratti principi: e può un cristiano esitare nella scelta?

Aveva già espresso, con «gli amici», questa sua opinione: parlando di «prelevamenti» a fine di lucro e di «prelevamenti» politici. Perché non ribadirla e perorarla per il suo caso?

Il Moro che formula questa proposizione: «la dottrina per la quale il rapimento non deve arrecare vantaggi, discutibile già nei casi comuni, dove il danno del rapito è estremamente probabile, non regge in circostanze politiche, dove si provocano danni sicuri e incalcolabili non solo alla persona ma allo Stato»; il Moro che formula questa proposizione è in perfetta coerenza col Moro politico e col Moro docente che gli italiani hanno conosciuto per un trentennio: con la sua visione della vita, delle cose italiane, del corso della politica; col suo senso del diritto e col suo senso dello Stato (e questa volta non tra virgolette, il senso dello Stato: diverso, cioè, da quello che gli si è voluto, per impostura, imporgli).

Non credo abbia avuto paura della morte. Forse di *quella* morte: ma era ancora paura della vita. «Secoli di scirocco», era stato detto, «sono nel suo sguardo». Ma anche secoli di morte. Di contemplazione della morte, di amicizia con la morte. Ronchey aveva scritto: «È l'incarnazione del pessimismo meridionale». Che cosa è, in che consiste, il pessimismo meridionale? Nel vedere ogni cosa, ogni idea, ogni illusione – anche le idee e le illusioni che sembrano muovere il mondo – correre verso la morte. Tutto corre verso la morte: tranne il pensiero della morte, l'idea della morte. «Nonché un pensiero, il pensiero della morte è il pensiero stesso». Penetra ogni cosa, come lo scirocco: nei paesi dello scirocco.

Nelle case patrizie siciliane c'era, ingegnosamente escogitata credo nel secolo XVIII, una camera dello scirocco: in cui rifugiarsi nei giorni in cui lo scirocco soffiava. Ma una camera in cui rifugiarsi, in cui difendersi dal pensiero della morte? E peraltro dubito che quelle camere fossero vera difesa allo scirocco: prima che lo si avverta nell'aria, lo scirocco si è già come avvitato alle tempie, alle ginocchia.

Non credo abbia avuto paura della morte. Ma di *quella* morte... «Chi ha detto che la natura umana è in grado di sopportare questo senza impazzire? Perché un affronto simile: mostruoso, inutile, vano? Forse esiste un uomo al quale hanno letta la sentenza, hanno lasciato il tempo di torturarsi e poi hanno detto: "Va', sei graziato". Ecco, un uomo simile forse potrebbe raccontarlo. Di questo strazio e di questo orrore ha parlato anche Cristo. No, non è lecito agire così con un uomo».

Si è agito così con lui. E anzi peggio: nell'oscura, tenebrosa, nascosta parodia dell'*assassinio legale*. E nessuna ragione avrebbe dovuto impedire il tentativo che ciò non accadesse: e tanto meno quella che è detta *ragione di Stato*, di uno Stato che ha cancellato lo strazio e l'orrore della pena di morte.

Moro ha sopportato questo senza impazzire. Non era un eroe, né preparato all'eroismo. Non voleva morire di *quella* morte, ha tentato di allontanarla da sé. Ma c'era anche, nel suo non voler morire, e di *quella* morte, una preoccupazione, un'ossessione, che andava al di là della propria vita (e della propria morte). In questa preoccupazione, in questa ossessione, è forse da vedere l'inveramento di quella definizione di «grande statista» che fuori, in quel momento, per plateale mistificazione e in tutt'altro senso, gli elargivano. E tanto poco in questo tutt'altro senso era «statista» che quando parla di Stato e di ragion di Stato, nella lettera a Cossiga e in altre successive, intende tutto il contrario di un'entità che trascura o trascende l'individuo, il singolo, la sua particolarità e il suo «particulare». Lo Stato di cui si preoccupa, lo Stato che occupa i suoi pensieri fino all'ossessione, io credo l'abbia adombrato nella parola «famiglia». Che non è una mera sostituzione – alla parola Stato la parola famiglia – ma come un allargamento di significato: dalla propria famiglia alla famiglia del partito e alla famiglia degli italiani di cui il partito rappresenta, anche di quelli che non lo votano, la «volontà generale». E in questa «volontà generale» c'è, nella concezione di Moro, un solo punto certo e fermo, da mantenere nella fluidità dei compromessi e delle contraddizioni: ed è la libertà.

Nella «prigione del popolo» Moro ha visto la libertà in pericolo e ha capito da dove il pericolo viene e da chi e come è portato. Forse se ne è riconosciuto anche lui portatore: come di certi contagi che alcuni portano senza ammalarsene. Da ciò la sua ansietà di uscire dalla «prigione del popolo»: per comunicare quello che ha capito, quello che ormai sa. «Se non avessi una famiglia così bisognosa di me sarebbe un po' diverso», dice nella seconda lettera, diretta a Zaccagnini. Si noti: «un po' diverso». Non molto diverso, il morire, dal continuare a vivere. Ma la famiglia ha bisogno, «il più grande bisogno». E lo ripeterà ad ogni lettera, fino a dirlo «grave e urgente » nella lettera al presidente della Repubblica.

Ora queste affermazioni sul bisogno che la famiglia aveva di lui, bisogno grave e urgente, Moro sapeva bene che trovavano immediata smentita nella situazione oggettiva della sua famiglia: ché di lui, della sua liberazione, del suo ritorno, aveva bisogno nella sfera degli affetti, non in quella patrimoniale e sociale. Peraltro, da meridionale, non credo potesse vedere come bisognosa – di denaro o di protezione – una famiglia come la sua. Un meridionale ai cui figli non manca il lavoro e le cui figlie hanno, oltre al lavoro, un marito; che lascia alla moglie una casa e una pensione e all'intera famiglia un buon nome, si considera come sciolto dal problema della famiglia e in regola con la vita e con la morte. È da pensare, dunque, che appunto perché trovavano immediata e oggettiva smentita Moro continuasse a martellare queste asserzioni sul bisogno della famiglia. Perché si pensasse, insomma, che voleva dire altro. E quando dice: « È noto che i gravissimi problemi della mia famiglia sono la ragione fondamentale della mia lotta contro la morte » (lettera pervenuta al « Messaggero » il 29 aprile), intende col « noto » sottolineare quel che noto non è: e che dunque altra ragione bisogna riconoscere alla sua lotta contro la morte. Del resto, nelle lettere alla famiglia – almeno in quelle che si conoscono – non c'è nulla che lasci intravedere preoccupazioni propriamente familiari. E si può obiettare che abbia usato l'argomento famiglia nel sentimento, nella sentimentalità, nel pietismo in cui gli italiani lo usano e cioè secondo la longanesiana *boutade*: «Sulla bandiera dell'italiano c'è scritto *io ho famiglia*»; ma sarebbe un far torto alla sua intelligenza, alla sua misura, alla sua lucidità: qualità di cui – e si vedrà nel futuro che è già cominciato – ha dato prova, più che nella sua trentennale attività politica, nelle lettere dalla «prigione del popolo».

Nel pomeriggio del 4 aprile alla redazione milanese del giornale «La Repubblica» perviene una lettera di Moro a Zaccagnini insieme al comunicato numero quattro delle Brigate rosse e ad un opuscolo a stampa che contiene la *Risoluzione della direzione strategica*.

La ragione per cui le Brigate rosse immettono nel giro dei grandi mezzi di diffusione il loro progetto strategico, che a regola di strategia avrebbe dovuto circolare tra adepti, forse è da cercare, oltre che nel sempre proficuo *eccesso di evidenza*, nella necessità di raggiungere – appunto servendosi dei mezzi di diffusione del SIM – quei simpatizzanti non ancora a loro collegati ma che tra loro vanno collegandosi. Soltanto dai simpatizzanti, un po' dovunque sparsi, la *Risoluzione* può esser letta con entusiasmo. E potrebbe, dalla polizia, esser letta con profitto: ma c'è da dubitarne.

La lettera di Moro è tale da suscitare, immediatamente, questa nota, concordata in una riunione ristretta di maggiorenti democristiani, che ufficialmente viene affidata al giornale del partito ma che tutti i giornali l'indomani riportano: «Come possono comprendere i lettori, il testo della lettera a firma Aldo Moro indirizzata all'onorevole Zaccagnini, rivela ancora una volta le condizioni di assoluta coercizione nella quale simili documenti vengono scritti e conferma che anche questa lettera *non è moralmente a lui ascrivibile*».

I lettori, almeno quelli – pochi o molti – che sanno capire quel che leggono, non erano del parere dei maggiorenti democristiani: anche se era un parere condiviso dai grandi giornali e dalla radiotelevisione. Che approvassero o no il comportamento dell'onorevole Moro, i lettori non potevano comprendere perché si dovesse giudicare «fuori di sé», non in condizione di intendere e di volere, un uomo che non voleva morire e che si rivolgeva al proprio partito affinché lo riscattasse con mezzi che, per quanto elettoralisticamente rischiosi, non attingevano all'impossibile. C'erano, sì, quei cinque morti: quei cinque uomini della scorta massacrati al momento del «prelevamento». Ma, a pensarci bene, quei cinque morti facevano ragione perché ce ne fosse un sesto?

Comunque, la lettera di Moro non sembrava delirante. E non era.

Caro Zaccagnini,

scrivo a te, intendendo rivolgermi a Piccoli, Bartolomei, Galloni, Gaspari, Fanfani, Andreotti e Cossiga, ai quali tutti vorrai leggere la lettera e con i quali tu ti vorrai assumere le responsabilità che sono ad un tempo individuali e collettive. Parlo innanzi tutto della DC alla quale si rivolgono accuse che riguardano tutti, ma che io sono chiamato a pagare con conseguenze che non è difficile immaginare. Certo sono in gioco altri partiti; ma un così tremendo problema di coscienza riguarda innanzi tutto la DC, la quale deve muoversi qualunque cosa dicano, o dicano nell'immediato, gli altri. Parlo innanzi tutto del Partito Comunista, il quale pur nell'opportunità di affermare l'esigenza di fermezza, non può dimenticare che il mio drammatico prelevamento è avvenuto mentre si andava alla Camera per la consacrazione del Governo che m'ero tanto adoperato a costruire. È per altro doveroso, nel delineare la disgraziata situazione, che io ricordi la mia estrema reiterata e motivata riluttanza ad assumere la carica di Presidente che tu mi offrivi e che ora mi strappa alla famiglia mentre essa ha il più grande bisogno di me. Moralmente sei tu ad essere al mio posto, dove materialmente sono io. Ed infine è doveroso aggiungere, in questo momento supremo, che se la scorta non fosse stata, per ragioni amministrative, del tutto al di sotto delle esigenze della situazione, io forse non sarei qui.

Questo è tutto il passato. Il presente è che io sono sottoposto ad un difficile processo politico del quale sono prevedibili sviluppi e conseguenze.

Sono un prigioniero politico che la vostra brusca decisione di chiudere un qualsiasi discorso relativo ad altre persone parimenti detenute, pone in una situazione insostenibile. Il tempo corre veloce e non ce n'è purtroppo abbastanza. Ogni momento potrebbe essere troppo tardi. Si discute qui non in astratto diritto (benché vi siano le norme sullo stato di necessità), ma sul piano dell'opportunità umana e politica, se non sia possibile

62

dare con realismo alla mia questione l'unica soluzione positiva possibile, prospettando la liberazione di prigionieri di ambo le parti, attenuando l'attenzione nel contesto proprio di un fenomeno politico. Tener duro può apparire più appropriato ma una qualche concessione è non solo equa, ma anche politicamente utile.

Come ho ricordato in questo modo civile si comportano moltissimi Stati. Se altri non ha il coraggio di farlo, lo faccia la DC, che, nella sua sensibilità ha il pregio di indovinare come muoversi nelle situazioni più difficili. Se così non sarà, l'avrete voluto e lo dico senza animosità, le inevitabili conseguenze ricadranno sul Partito e sulle persone. Poi comincerà un altro ciclo più terribile e parimenti senza sbocco. Tengo a precisare di dire queste cose in piena lucidità e senza avere subito alcuna coercizione nella persona; tanta lucidità almeno, quanta può averne chi è da quindici giorni in una situazione eccezionale, che non può avere nessuno che lo consoli, che sa che cosa lo aspetti. Ed in verità mi sento anche un po' abbandonato da voi. Del resto queste idee già espressi a Taviani per il caso Sossi ed a Gui a proposito di una contestata legge contro i rapimenti. Fatto il mio dovere di informare e richiamare mi raccolgo con Iddio, i miei cari e me stesso. Se non avessi una famiglia così bisognosa di me sarebbe un po' diverso. Ma così ci vuole davvero coraggio per pagare per tutta la DC, avendo dato sempre con generosità. Che Iddio vi illumini e lo faccia presto, com'è necessario. I più affettuosi saluti.

Per quella specie di dottrina di Monroe da lui sempre propugnata – la non ingerenza di altre forze politiche e d'opinione in quel continente che è la Democrazia Cristiana – si rivolge ancora al partito e, per nome, agli altri sette democristiani che con Zaccagnini possono «assumere le responsabilità», decidere. Tra gli otto c'è, alquanto incongruamente, Cossiga. Basterebbe, per il governo, Andreotti: il presidente del Consiglio. E più necessaria, dovendo decidere per le trattative e per lo scambio, sarebbe stata la presenza del ministro della Giustizia. Perché Moro vuole che a quel ristretto consesso partecipi Cossiga? Ma evidentemente perché il ministro degli Interni dica o che le indagini e ricerche sono ad un punto morto, e dunque la trattativa si impone senza riserve, o che la polizia sta per raggiungere dei risultati, e dunque si può ancora resistere a non trattare o trattare in un certo modo.

A quel punto, dopo circa venti giorni di prigionia, Moro non si fa certo molte illusioni a che la polizia possa trovarlo e liberarlo. Spera di più nella trattativa, nello scambio: e offre al partito un argomento che può servire a giustificarlo – ammesso che la Democrazia Cristiana abbia bisogno di giustificazioni – di fronte agli altri partiti e all'opinione pubblica: l'argomento dell'aver pensato sempre così, in coerenza all'essere cristiano. Così pensava Aldo Moro, presidente della Democrazia Cristiana, già qualche anno prima: che tra il salvare una vita umana e il tener fede ad astratti principi si dovesse forzare il concetto giuridico di *stato di necessità* fino a farlo diventare principio: il non astratto principio della salvezza dell'individuo contro gli astratti principi. E così non potevano non pensare, nel loro essere o dirsi cristiani, gli uomini della Democrazia Cristiana: dalla base ai vertici.

Ma una insospettata e immane fiamma statolatrica sembra essersi attaccata alla Democrazia Cristiana e possederla. Moro, che continua a pensare come pensava, ne è ormai un corpo estraneo: una specie di doloroso calcolo biliare da estrarre – con l'ardore statolatrico come anestetico – da un organismo che, quasi toccato dal miracolo, ha acquistato il movimento e l'uso del « senso dello Stato ». Certo, è scomodo si sappia che Moro *ha sempre pensato così*; che non sono state le Brigate rosse, con sevizie e droghe, a convertirlo alla liceità dello scambio di prigionieri tra uno Stato di diritto e una banda eversiva. Ma c'è rimedio: e nemmeno occorre tanto affaticarsi per applicarlo. I giornali indipendenti e di partito, i settimanali illustrati, la radio, la televisione: sono quasi tutti lì, in riga a difendere lo Stato, a proclamare la metamorfosi di Moro, la sua morte civile.

È come se un moribondo si alzasse dal letto, balzasse ad attaccarsi al lampadario come Tarzan alle liane, si lanciasse alla finestra saltando, sano e guizzante, sulla strada. Lo Stato italiano è resuscitato. Lo Stato italiano è vivo, forte, sicuro e duro. Da un secolo, da più che un secolo, convive con la mafia siciliana, con la camorra napoletana, col banditismo sardo. Da trent'anni coltiva la corruzione e l'incompetenza, disperde il denaro pubblico in fiumi e rivoli di impunite malversazioni e frodi. Da dieci tranquillamente accetta quella che De Gaulle chiamò – al momento di farla finire – «la ricreazione»: scuole occupate e devastate, violenza dei giovani tra loro e verso gli insegnanti. Ma ora, di fronte a Moro prigioniero delle Brigate rosse, lo Stato italiano si leva forte e solenne. Chi osa dubitare della sua forza, della sua solennità? Nessuno deve aver dubbio: e tanto meno Moro, nella «prigione del popolo».

«Lo Stato italiano forte coi deboli e debole coi forti», aveva detto Nenni. Chi sono i deboli, oggi? Moro, la moglie e i figli di Moro, coloro che pensano lo Stato avrebbe dovuto e dovrebbe essere forte coi forti.

Dell'improvviso levarsi dello Stato «come

66

torre ferma che non crolla» Moro è sorpreso. Come è venuto fuori, da quella larva, questo mostro corazzato e armato? Sono stati «gli altri» a trasmettere alla Democrazia Cristiana una così dura volontà nella difesa dello Stato? Gli altri: «Parlo innanzi tutto del Partito Comunista, il quale pur nell'opportunità di affermare l'esigenza di fermezza, non può dimenticare che il mio drammatico prelevamento è avvenuto mentre si andava alla Camera per la consacrazione del Governo che m'ero tanto adoperato a costruire». Ma appunto questo non dimenticava il Partito Comunista: e Moro l'avrà chiaro tra qualche giorno. Intanto, inconsciamente, rivendicando il merito di quella costruzione, usa la parola «consacrazione». Un lapsus per il cattolico; un presentimento per l'uomo che si sente «un po' abbandonato» (e voleva dire del tutto). «Di cose meramente umane» – dice il cattolico Tommaseo – «non si dovrebbe mai adoperare quell'alta parola ... *Consacrasi* facendo sacro quel che sacro non era, con parole solenni, con atti, con riti». Parole solenni: la difesa dello Stato. Riti: il massacro di cinque uomini, l'esecuzione di una condanna a morte.

Sono di fronte due stalinismi: e chiamo per una più attuale comodità stalinismo una cosa molto più antica, «la cosa» da sempre gestita sull'intelligenza e il sentimento degli uomini, a spremerne dolore e sangue, da alcuni uomini non umani. O meglio: sono di fronte le due metà di una stessa cosa, della «cosa»; e lentamente e inesorabilmente si avvicinano a schiacciare l'uomo che ci sta in mezzo. Lo stalinismo consapevole, apertamente violento e spietato delle Brigate rosse che uccide senza processo i servitori del SIM e con processo i dirigenti; e lo stalinismo subdolo e sottile che sulle persone e sui fatti opera come sui palinsesti: raschiando quel che prima vi si leggeva e riscrivendolo per come al momento serve.

Moro non vuol restarne schiacciato. Non per viltà ma, si direbbe, per servizio. C'è come una impassibilità burocratica, di *routine*, nella conclusione della sua lettera a Zaccagnini: «Fatto il mio dovere di informare e richiamare...». E si badi: «di informare». E dove può annidarsi l'informazione? Ecco, probabilmente in quel qualcosa che nella lettera non c'è e avrebbe dovuto esserci: una espressione di pietà, di compianto, per la scorta che aveva visto massacrare. «Ed infine è doveroso aggiungere, in questo momento supremo, che se la scorta non fosse stata, per ragioni amministrative, del tutto al di sotto delle esigenze della situazione, io forse non sarei qui». Un dovere: non una protesta, non una recriminazione; e nel «momento supremo», nell'ora della verità. L'accostamento tra un fatto a tutti evidente, quale l'inefficienza della scorta, e il «momento supremo» in cui lui sente il dovere di comunicare una così ovvia constatazione, è *sproporzionato*. E del resto gli uomini di scorta hanno pagato con la vita la loro inefficienza. E se con le «ragioni amministrative» Moro avesse voluto alludere a carenze e colpe che stavano più in alto dei cinque uomini, a maggior ragione avrebbe dovuto esserne pietoso.

Non era un cinico; e se lo fosse stato, avrebbe calcolato l'effetto a lui favorevole che una parola di compianto per quei cinque morti avrebbe avuto sull'opinione pubblica. Se la è, invece, calcolatamente vietata. Perché? Il carabiniere Domenico Ricci da circa vent'anni era il suo autista; il maresciallo Oreste Leonardi era con lui da quindici. È incredibile non si fosse stabilito un rapporto affettivo. Eppure, uccisi sotto i suoi occhi, non ha per loro una parola di pena. Perché? Forse appunto per questo: perché «gli amici» – e Cossiga principalmente – se ne domandassero la ragione e la cercassero.

Si può pensare non abbia visto che confusamente, senza ben capire, quel che in fulminea sequenza era accaduto in via Fani: ma per quanto fulminea l'azione, almeno il tempo di accorgersi che Leonardi e Ricci, nella sua automobile, erano stati colpiti a morte, certamente l'ha avuto. E poi, leggeva i giornali: e glieli facevano leggere non solo per quell'etica carceraria di cui si è già parlato, ma anche perché nulla c'era nei giornali di cui Moro potesse confortarsi, che potesse incoraggiarlo a resistere, che servisse a dargli coscienza di dover difendere qualcosa che valesse la pena difendere.

Ma questo passo della lettera è destinato a restare relegato nel mistero – o nel silenzio. Almeno fino a quando non diventerà irresistibile, per qualcuna delle *dramatis personae*, dell'una sponda o dell'altra, il bisogno di confessarsi o la vanità di raccontare.

Dei due «amici» che Moro, nella lettera a Zaccagnini, chiama a testimoniare sulla sua immutata opinione riguardo alla necessità che il privato cittadino paghi i riscatti e lo Stato ceda agli scambi, l'onorevole Gui conferma; ma l'onorevole Taviani nega.

E non solo la conferma di Gui, ma anche la considerazione che Moro non avrebbe chiamato in causa, a testimoniare cosa non vera, un «amico» che sa non tanto amico, rendono vana e miserevole la smentita di Taviani. Gli si può far credito di smemorataggine, ma non di verità. La verità è quella di Moro. E reagisce infatti come chi, in condizioni di afflizione ed impotenza, è ferito dalla menzogna mentre si aspetta di essere aiutato dalla verità:

Filtra fin qui la notizia di una smentita opposta dall'on. Taviani alla mia affermazione, del resto incidentale, contenuta nel mio secondo messaggio e cioè che delle mie idee in materia di scambio di prigionieri (nelle circostanze delle quali ora si tratta) e di un modo di disciplinare i rapimenti avrei fatto parola, rispettivamente, all'on. Taviani ed all'on. Gui (oggi entrambi Senatori).

L'on. Gui ha correttamente confermato; l'on. Taviani ha smentito, senza evidentemente provare disagio nel contestare la parola di un collega lontano, in condizioni difficili e con scarse e saltuarie comunicazioni. Perché poi la smentita? Non c'è che una spiegazione, per eccesso di zelo, cioè, per il rischio di non essere in questa circostanza in prima fila nel difendere lo Stato.

Intanto quello che ho detto è vero e posso precisare allo smemorato Taviani (smemorato non solo per questo) che io gliene ho parlato nel corso di una direzione abbastanza agitata tenuta nella sua sede dell'EUR proprio nei giorni nei quali avvenivano i fatti dai quali ho tratto spunto per il mio occasionale riferimento. E non ho aggiunto, perché mi sarebbe parso estremamente indiscreto riferire l'opinione dell'interlocutore (non l'ho fatto nemmeno per l'on. Gui), qual era l'opinione in proposito che veniva opposta in confronto di quella che, secondo il mio costume, facevo pacatamente valere. Ma perché l'on. Taviani, pronto a smentire il fatto obiettivo della mia opinione, non si allarmi nel timore che io voglia presentarlo come se avesse il mio stesso pensiero, mi affretterò a dire che Taviani la pensava diversamente da me, come tanti anche oggi la pensano diversamente da me e allo stesso modo di Taviani. Essi, Taviani in testa, sono convinti che sia questo il solo modo per difendere l'autorità ed il potere dello Stato in momenti come questi. Fanno riferimento ad esempi stranieri? O hanno avuto suggerimenti? Ed io invece ho detto sin d'allora riservatamente al ministro ed ho ora ripetuto ed ampliato una valutazione per la quale in fatti come questi, che sono di autentica guerriglia (almeno cioè guerriglia), non ci si può comportare come ci si comporta con la delinquenza comune, per la quale del resto all'unanimità il Parlamento ha introdotto correttivi che riteneva indifferibili per ragioni di umanità. Nel caso che ora ci occupa si trattava di immaginare, con opportune garanzie, di porre il tema di uno scambio di prigionieri politici (terminologia ostica, ma corrispondente alla realtà) con l'effetto di salvare altre vite umane innocenti, di dare umanamente un respiro a dei combattenti, anche se sono al di là della barricata, di realizzare un minimo di sosta, di evitare che la tensione si accresca e lo Stato perda credito e forza, si è sempre impegnato in un duello processuale defatigante, pesante per chi lo subisce, ma anche non utile alla funzionalità dello Stato. C'è insomma un complesso di ragioni politiche da apprezzare ed alle quali dar seguito, senza fare all'istante un blocco impermeabile, nel quale non entrino nemmeno in parte quelle ragioni di umanità e di saggezza, che popoli civilissimi del mondo hanno sentito in circostanze dolorosamente analoghe e che li hanno indotti a quel tanto di ragionevole flessibilità, cui l'Italia si rifiuta, dimenticando di non essere certo lo Stato più ferreo del mondo, attrezzato, materialmente e psicologicamente, a guidare la fila di Paesi come USA, Israele, Germania (non quella però di Lorenz), ben altrimenti preparati a rifiutare un momento di riflessione e di umanità.

L'inopinata uscita del senatore Taviani, ancora in questo momento per me incomprensibile e comunque da me giudicata, nelle condizioni in cui mi trovo, irrispettosa e provocatoria, m'induce a valutare un momento questo personaggio di più che trentennale appartenenza alla DC. Nei miei rilievi non c'è niente di personale, ma sono sospinto dallo stato di necessità. Quel che rilevo, espressione di un malcostume democristiano che dovrebbe essere corretto tutto nell'avviato rinnovamento del partito, è la rigorosa catalogazione di corrente. Di questa appartenenza Taviani è stato una vivente dimostrazione con virate così brusche ed immotivate da lasciare stupefatti. Di matrice cattolica democratica Taviani è andato in giro per tutte le correnti, portandovi la sua indubbia efficienza, una grande larghezza di mezzi ed una certa spregiudicatezza. Uscito io dalle file dorotee dopo il '68, avendo avuto chiaro sentore che Taviani mi aspettasse a quel passo, per dar vita ad una formazione più robusta ed equilibrata, la quale, pur su posizioni diverse, potesse essere utile al migliore assetto della DC, attesi invano un appuntamento che mi era stato dato e poi altri ancora, finché constatai che l'assetto ricercato e conseguito era stato diverso ed opposto. Erano i tempi in cui Taviani parlava di un appoggio tutto a destra, di un'intesa con il Movimento Sociale come formula risolutiva della crisi italiana. E noi che, da anni, lo ascoltavamo proporre altre cose, lo guardavamo stupiti, anche perché il partito della DC da tempo aveva bloccato anche le più modeste forme d'intesa con quel partito. Ma, mosso poi da realismo politico, l'on. Taviani si convinse che la salvezza non poteva venire che da uno spostamento verso il partito comunista. Ma al tempo in cui avvenne l'ultima elezione del presidente della Re-

74

pubblica, il terrore del valore contaminante dei voti comunisti sulla mia persona (estranea, come sempre, alle contese) indusse lui e qualche altro personaggio del mio partito ad una sorta di quotidiana lotta all'uomo, fastidiosa per l'aspetto personale che pareva avere, tale da far sospettare eventuali interferenze di ambienti americani, perfettamente inutile, perché non vi era nessun accanito aspirante alla successione in colui che si voleva combattere. Nella sua lunga carriera politica che poi ha abbandonato di colpo senza una plausibile spiegazione, salvo che non sia per riservarsi a più alte responsabilità, Taviani ha ricoperto, dopo anche un breve periodo di segreteria del Partito senza però successo, i più diversi ed importanti incarichi ministeriali. Tra essi vanno segnalati per la loro importanza il ministero della Difesa e quello dell'Interno, tenuti entrambi a lungo con tutti i complessi meccanismi, centri di potere e diramazioni segrete che essi comportano. A questo proposito si può ricordare che l'amm. Hencke, divenuto Capo del SID e poi Capo di Stato Maggiore della Difesa, era un suo uomo che aveva a lungo collaborato con lui. L'importanza e la delicatezza dei molteplici uffici ricoperti può spiegarci il peso che egli ha avuto nel Partito e nella politica italiana, fino a quando è sembrato uscire di scena. In entrambi i delicati posti ricoperti ha avuto contatti diretti e fiduciari con il mondo americano. Vi è forse, nel tener duro contro di me, un'indicazione americana e tedesca?

La lettera arriva ai giornali nel pomeriggio del 10 aprile. La pubblicano tutti: evidentemente, il gusto di dar documento di un così drammatico dissidio in casa democristiana è superiore al ritegno censorio che, per «senso dello Stato», i giornali dicono di essersi imposto. La breve biografia che Moro traccia dell'onorevole Taviani diverte tutti. E magari erano cose che si sapevano già, ma dette da Moro assumono altro peso. Ed è superfluo dire che più di tutti si divertono le Brigate rosse. «Anticipiamo – scrivono nel comunicato numero cinque che accompagna il messaggio di Moro – tra le dichiarazioni che il prigioniero Moro sta facendo, quella imparziale ed incompleta, che riguarda il teppista di Stato Emilio Taviani. Non vogliamo fare nessun commento a ciò che Moro scrive perché, pur nel contorto linguaggio moroteo che quando afferma delle certezze assume le forme di velate allusioni, esprime con chiarezza il suo punto di vista su ciò che riguarda Taviani, i suoi giochi di potere nella DC, e le trame in cui è implicato». In verità questa lettera ha molto di velato e di contorto anche se è una delle più sciolte che Moro abbia scritto. E sciolte è la parola giusta: Moro comincia, pirandellianamente, a sciogliersi dalla forma, poiché tragicamente è entrato nella vita. Da personaggio ad «uomo solo», da «uomo solo» a creatura: i passaggi che Pirandello assegna all'unica possibile salvezza.

C'è anche, in questa lettera, quell'ironia che l'uomo politico Moro nascondeva, che raramente lasciava intravedere. Giustamente la nascondeva: nulla è più difficile da capire, più indecifrabile, dell'ironia. E se si può impiccare un uomo muovendogli come accusa una sola sua frase avulsa da un contesto, a maggior ragione, più facilmente, lo si può impiccare muovendogli contro una sua frase ironica. Questa, per esempio: «dare umanamente un respiro a dei combattenti, anche se sono al di là della barricata». Moro che vuol dare respiro alle Brigate rosse, che riconosce in loro dei combattenti! Non ci vuole di più, per considerarlo passato alle Brigate rosse. E infatti l'onorevole Taviani fa sapere ai giornali che «non intende aprire una polemica con le Brigate rosse».

Suggestionato o convinto, Moro ormai parla come le Brigate rosse e per le Brigate rosse: questa è la tesi che come una enorme pietra tombale scende sull'uomo vivo, combattivo e acuto che Moro è ancora nella «prigione del popolo», mentre si ricorda e si celebra il Moro già morto, il Moro da monumentare: il «grande statista» che Moro non è mai stato. Nel suo vecchio vagheggiamento-vaneggiamento nei riguardi dello Stato (e lo dico senza scherno perché anch'io ne sono affetto: solo che lui ritiene di averlo una volta intravisto, in Italia; e io mai), Montanelli intonerà un «requiem per Moro»; e l'onorevole Antonello Trombadori, comunista, nei corridoi della Camera dei deputati lancerà il grido:

« Moro è morto! ». Autoselezionatosi o trascelto tra i tanti « amici », un gruppo di « amici di Moro » prepara un mostruoso documento di misconoscimento: *il Moro che parla dalla « prigione del popolo » non è il Moro che abbiamo conosciuto.*

Effettualmente, mai Moro è stato così vicino alla sua immagine di sottile politicante, come in questa lettera contro Taviani. La smentita di Taviani gli ha dato amarezza, l'ha ancora di più sprofondato nella condizione di « uomo solo », ma al tempo stesso gli ha come amplificato il giuoco, gli ha offerto la possibilità di giuocare all'interno delle Brigate rosse: tra loro, senza parere, seminando il dubbio. E il veleno di questo dubbio è nella frase finale della lettera, nella domanda: « Vi è forse, nel tener duro contro di me, un'indicazione americana e tedesca? ». Può parere un corollario alla biografia politica di Taviani che sommariamente, ma con consumata malizia, ha tracciato: e *à la lettre* lo è (Taviani è l'uomo degli americani così come Henke era l'uomo di Taviani). Ma si consideri l'effetto di una simile domanda sui giovani gregari delle Brigate rosse: Moro – uno degli uomini che stava al vertice del SIM, e uno dei più intelligenti – che si domanda se l'uomo degli americani è stato, anche questa volta, nel negare una verità così palesemente vera, istruito e comandato dagli americani – e dai tedeschi. E se Moro formalmente, retoricamente, se lo domanda,

non vuol dire che sostanzialmente ne è certo? E dunque la loro azione – nell'aver catturato Moro, nel tenerlo prigioniero – corrisponde *anche* a un disegno americano e tedesco, vi concorre involontariamente, casualmente lo agevola – o addirittura ne è parte?
Se Moro avesse loro insinuato questo dubbio nelle lunghe conversazioni che certamente avevano, o durante il «processo», non ne avrebbero tenuto conto, l'avrebbero appunto valutato come una insinuazione, un tentativo di seminare zizzania. Ma Moro rivolge questa domanda – cioè questa certezza, questa accusa – ai suoi «amici»: e in un momento di rabbia e di disperazione. E non è inquietante il sapere che l'uomo degli americani, «il teppista di Stato» Taviani, ha interesse a che Moro resti nella «prigione del popolo», e ci muoia, quanto i loro capi, i capi delle Brigate rosse?
E può darsi che si stia, qui, facendo un romanzo: ma non è improbabile che da questa lettera di Moro si apra nelle Brigate rosse quella specie di dicotomia di cui non si possono indicare segni precisi ma che diventa a un certo punto avvertibile. Tanto avvertibile da muovere il Partito Socialista Italiano, che pure fa parte della maggioranza governativa, a rompere l'atmosfera statolatrica e a proporre agli altri partiti, e principalmente alla Democrazia Cristiana, un'apertura alle trattative. Poiché è impensabile che un partito, un inte-

ro partito, si muova per improvvisi afflati umanitari o per l'improvvisa smania di apparire diverso appunto in senso umanitario e sentimentale, è da sospettare che di quella dicotomia il Partito Socialista Italiano (e cioè gli uomini che si sono assunti la responsabilità di rompere il fronte statolatrico) avesse avuto un qualche segno.

Qualcosa di nuovo, di imprevisto, certamente sta accadendo all'interno delle Brigate rosse. Nel comunicato numero sei, che arriva alla redazione milanese del giornale «La Repubblica» la sera del 15 aprile, dicono: «a questo punto facciamo una scelta».

La scelta è di diffondere soltanto clandestinamente le informazioni in loro possesso: e quindi, principalmente, le risultanze del «processo» – che proclamano chiuso con la condanna a morte – fatto a Moro. Motivazione della scelta: «La stampa di regime è sempre al servizio del nemico di classe; e la menzogna, la mistificazione sono per essa la regola, ed in questi giorni ne ha dato una prova superlativa...». Motivazione alquanto banale e che ha tutta l'aria di un ravvedimento; e tardivo per giunta. E poi, dando non solo per vero, ma per scontato, che la stampa «di regime» operi in mistificazione, non c'è però dubbio che ha dato all'azione delle Brigate rosse una amplificazione quasi mitica e ai loro comunicati teorici o pratici una diffusione vastissima. E guardando agli effetti: le interpretazioni delle azioni e delle comunicazioni delle Brigate rosse, per quanto mistificate e mistificanti, cadono sempre su un pubblico già disposto, predisposto, ad accettarle; mentre i testi, pubblicati nella loro integrità, raggiungono aree di simpatizzanti che la diffusione clandestina non potrebbe mai raggiungere. Comunicando, dunque, risoluzioni e informazioni alla stampa «di regime», i vantaggi sono – per le Brigate rosse – di gran lunga superiori agli svantaggi, i profitti alle perdite. E allora perché dicono di aver scelto il silenzio?

Si tratta – nel loro avvertitissimo senso della teatralità, dei colpi di scena, della suspense – di una battuta d'aspetto? O hanno bisogno di fare il punto, di riflettere? O la «centrale» sente la necessità di una coordinazione più precisa, di un controllo più serrato: con le «colonne», sulle «colonne»; e sopratutto con e su quella che detiene Moro? E ci si può anche fermare su questa ipotesi e immaginare (immaginare, immaginare!) che una migliore coordinazione e un più stretto controllo appaiano necessari alla «centrale» per l'inquietudine seminata – tra i gregari più giovani, tra gli esecutori meno provveduti della «colonna» romana – dalla lettera di Moro contro Taviani e dall'insoddisfacente risultato del «processo». E che il risultato del «processo» sia stato insoddisfacente, lo si deduce facilmente – e anche troppo facilmente – da questo *leitmotiv* del comunicato numero sei: «Non ci sono segreti che riguardano la DC, il suo ruolo di cane da guardia della borghesia, il suo compito di pilastro dello Stato delle Multinazionali, che siano sconosciuti al proletariato ... Quali misteri ci possono essere del regime DC da De Gasperi a Moro che i proletari non abbiano già conosciuto e pagato con il loro sangue? ... Non ci sono quindi "clamorose rivelazioni" da fare... ». Niente segreti, niente misteri, nessuna clamorosa rivelazione: tanto valeva – poiché lo si sapeva da prima, poiché non è una risultanza del processo – lasciare Moro in via Fani, affratellato nella morte a quei cinque servitori del SIM.

Di essere caduti in contraddizione si accorgono anche loro. E subito dopo, nello stesso comunicato, aggiustano: « l'interrogatorio ad Aldo Moro ha rivelato le turpi complicità del regime, ha additato con fatti e nomi i veri e nascosti responsabili... ». Di nuovo contraddicendosi: ché vuol dire le rivelazioni da fare ci sarebbero, e clamorose. E considerando il comunicato come il dispositivo di una sentenza, c'è da notare quest'altra e più grave contraddizione: che Moro vi appare, e proprio mentre lo si condanna a morte, come (ripetendo l'espressione di Pasolini) « il meno implicato di tutti »: il meno implicato nelle trame di potere, negli scandali, nelle corruttele. Più come un testimone, vi appare, che come un imputato. E come un testimone d'accusa, per di più: di quelli coltivati e benvoluti dai pubblici ministeri. Uno che « addita », che

« indica », che « mette a nudo ». Non c'è un solo tratto, nel dispositivo, che lasci intravedere una sua colpevolezza attiva, una sua responsabilità specifica. Né mai è detto che sta accusando giustamente gli altri per salvare ingiustamente se stesso. E viene da pensare a quell'episodio della rivoluzione messicana che Martín Luis Guzmán racconta in quel gran libro che è *L'aquila e il serpente*: del generale rivoluzionario che entrando da vincitore in un paese convoca cinque o sei notabili e a ciascuno impone di versare una data somma: tante migliaia di pesos al primo, tempo tre ore; il doppio al secondo, a quattro ore; e così via, aumentando per ognuno la somma e dilazionando il tempo: e pena l'impiccagione. E allo scadere delle tre ore il primo, che si dichiara disperatamente povero, viene impiccato; ma tutti gli altri, anche prima che scada il termine a ciascuno assegnato, consegnano i pesos. Soddisfatto, il generale vanta all'aiutante la bontà del sistema. « Ma il primo non ha pagato » osserva l'aiutante. E il generale: « Ma non aveva di che pagare, lo sapevo bene: appunto per questo mi serviva ».

Si può anche avere l'impressione di qualcosa di simile, dal comunicato numero sei. Ma sopratutto si ha l'impressione di un momento di inquietudine, di incertezza, di indecisione: pur nella terribile decisione della condanna a morte. E c'è da immaginare (ancora da immaginare) che scatti da questo momento di indecisione la trovata del comunicato numero sette: quel comunicato che le Brigate rosse poi dissero falso e che la stampa « di regime » assunse come « falso »: delicatamente dubitando, nel mettere la parola tra virgolette, che le Brigate rosse dicessero la verità. E qui ci sarebbe da fare tutto un discorso sul mito di rigore e di verità che, in uno a quello della micidiale perfezione e dell'imprendibilità, godevano e godono le Brigate rosse nell'inconscio collettivo e in quella parte dell'inconscio collettivo che si annida nelle istituzioni (la polizia, la magistratura, il giornalismo). Ne è caso estremo quello capitato in una banca di un paese del settentrione, ai cui sportelli si presenta un signore che, aprendo la giacca a mostrare con *nonchalance* e discrezione una pistola, chiede al cassiere che lo accompagni nell'ufficio del direttore: inviato, dice, dalle Brigate rosse. E al direttore, sempre a nome delle Brigate rosse, chiede un contributo di ottanta milioni. Avutolo, rilascia una ricevuta, si fa accompagnare alla porta, prescrive che non si diano allarmi e non si faccia denuncia fino alle sei della sera (prescrizione fedelmente eseguita): e scompare. Caso estremo, e di estrema comicità: ma sintomo rivelatore di uno stato d'animo abbastanza diffuso.

Il «falso» comunicato numero sette arriva nella tarda mattinata del 18 aprile. Graficamente, ci sono gli elementi che sarebbero poi stati addotti a prova della falsità. Nel linguaggio, c'è *un di più* di beffardo cinismo, di macabra frivolità. Coloro che avevano redatto i precedenti comunicati, quelli certamente autentici, sarebbero stati più solenni e più prolissi.

Oggi 18 aprile 1978, si conclude il periodo «dittatoriale» della DC che per ben trent'anni ha tristemente dominato con la logica del sopruso. In concomitanza con questa data comunichiamo l'avvenuta esecuzione del presidente della DC Aldo Moro, mediante «suicidio». Consentiamo il recupero della salma, fornendo l'esatto luogo ove egli giace. La salma di Aldo Moro è immersa nei fondali limacciosi (ecco perché si dichiarava impantanato) del lago Duchessa, alt. mt. 1800 circa località Cartore (RI) zona confinante tra Abruzzo e Lazio.
È soltanto l'inizio di una lunga serie di «suicidi»: il «suicidio» non deve essere soltanto una «prerogativa» del gruppo Baader Meinhof.
Inizino a tremare per le loro malefatte i vari Cossiga, Andreotti, Taviani e tutti coloro i quali sostengono il regime.

P.S. Rammentiamo ai vari Sossi, Barbaro, Corsi, ecc. che sono sempre sottoposti a libertà «vigilata».

L'elemento da opporre alla falsità, l'elemento per cui lo si può ritenere proveniente dalle Brigate rosse, è principalmente questo: attenti come sono sempre stati alle date, alle ricorrenze, alle rispondenze simboliche, è possibile che lasciassero passare il 18 aprile senza fare una qualche azione o almeno emettere un comunicato? Il 18 aprile del 1948, la grande vittoria elettorale della Democrazia Cristiana aveva dato inizio al «regime», al SIM: possibile che le Brigate rosse dimenticassero di celebrarne, a loro modo, il trentennale?
Anche il diverso tono del comunicato, la sua atroce leggerezza, può trovare spiegazione nell'autenticità: chi lo scrive sa che Moro è vivo; e sa di star facendo una beffa alla polizia, al SIM. E altro elemento: è soltanto la sera del 20 che le Brigate rosse emettono il comunicato numero sette, il «vero» comunicato numero sette contro il «falso». Perché hanno aspettato due giorni? Evidentemente perché gli effetti della beffa si dispiegassero pienamente agli occhi degli italiani, con quelle vane e grottesche ricerche nel lago Duchessa. Senza dire che la beffa poteva anche rispondere a una immediata necessità di alleggerimento, di svincolo: proprio la mattina del 18 aprile, in via Gradoli, a poca distanza

da via Fani, la polizia aveva scoperto un «covo» delle Brigate rosse. Distogliere forze da Roma e attenzione da quegli indizi che indubbiamente i brigatisti avevano lasciato nell'appartamento di via Gradoli, poteva essere una ragionevole necessità.

Nel «vero» comunicato numero sette, diviso in due paragrafi, il secondo è dedicato al «falso»: «Il comunicato falso del 18 aprile»: «una lugubre mossa degli specialisti della guerra psicologica». Non se ne indignano molto né si attardano a cercarne spiegazione. Sembrano davvero convinti che contro di loro siano scesi in campo gli specialisti della guerra psicologica e che a tanta specialità si debba il «falso» comunicato. E si potrebbe anche essere d'accordo con loro, se per un solo momento si riuscisse a vedere il ministero degli Interni capace di una qualche iniziativa. Il fatto è che il «falso» comunicato poteva essere indifferentemente escogitato dalle Brigate rosse come dal governo – a patto che il governo fosse stato in grado di escogitare qualcosa. Serviva – ed è servito – ad entrambi: come *ballon d'essai*, come prova generale, come ovvio sistema per far scaricare su una notizia falsa – che sarebbe poi stata dichiarata falsa – quelle tensioni, emozioni e giudizi che si sarebbero scaricati sulla vera; e di rendere quindi la vera, che a distanza più o meno calcolata sarebbe esplosa, come ridotta, come devitalizzata. Moro era stato condannato a morte direttamente dalle Brigate rosse e indirettamente dalla Democrazia Cristiana, dallo Stato: bisognava far sì che gli effetti di riprovazione, di orrore e di pietà che la notizia dell'esecuzione avrebbe suscitato si riducessero, si devitalizzassero. Ed era interesse delle due parti. La Democrazia Cristiana aveva da fare i conti col cristianesimo, di cui qualche barlume, di fronte al caso Moro, cominciava ad accendersi anche nei cattolici praticanti (e più che dei barlumi tra i non praticanti e i laici). E i brigatisti avevano da fare i conti con quella sinistra alla sinistra del Partito Comunista che ancora li chiamava «compagni» («compagni che sbagliano») e che non solo – dopo l'assassinio del giornalista Casalegno – cominciava a distinguere tra omicidio e rivoluzione, ma cominciava a nutrire la preoccupazione che la serie in crescendo dei delitti rivoluzionari magari servisse a preparare la rivoluzione, ma più certamente e immediatamente sortisse ad effetti di reazione, di repressione.

Il «falso» comunicato, dicono dunque i giornali: con delicatezza, si è detto, volendo insinuare il sospetto che, falso nel contenuto, non ne sia falsa la provenienza. La «lugubre mossa», dicono le Brigate: meno delicatamente restituendo il sospetto come accusa precisa: al «regime», al governo, al presidente del Consiglio Andreotti. La «lugubre mossa»: come se – ammesso che il falso non venisse da loro – fosse meno lugubre la proclamazione della sentenza di morte e la decisione di eseguirla. Di eseguirla a meno che... Ed ecco, per la prima volta, nel «vero» comunicato numero sette, avanzata finalmente da loro la condizione che fino a quel punto avevano fatto in modo che apparisse proposta e propugnata solamente da Moro: «Il rilascio del prigioniero Aldo Moro può essere preso in considerazione solo in relazione della liberazione di prigionieri comunisti». È un ultimatum: la Democrazia Cristiana e il governo debbono dare una risposta «chiara e definitiva» entro quarantotto ore, a partire dalle ore 15 del 20 aprile.

Subito dopo il comunicato numero sette («vero» o bis che lo si voglia chiamare), lo stesso giorno 20, arriva alla redazione milanese de «La Repubblica» una fotografia di Moro. A certificazione di quella che in burocrazia si dice «esistenza in vita», gli hanno messo in mano «La Repubblica» del giorno precedente. Moro vi appare non deperito. E con la stanchezza di sempre.

L'indomani, Zaccagnini riceve una nuova lettera di Moro. Vi è svolta la tesi, abbastanza lucida e sufficientemente condividibile, che il «rispetto cieco della ragion di Stato» nel non voler riscattare la sua vita reintroduca di fatto la pena di morte nell'ordinamento costituzionale italiano.

Caro Zaccagnini,

mi rivolgo a te ed intendo con ciò rivolgermi nel modo più formale e, in certo modo, solenne all'intera Democrazia Cristiana, alla quale mi permetto d'indirizzarmi ancora nella mia qualità di Presidente del Partito. È un'ora drammatica. Vi sono certamente problemi per il Paese che io non voglio disconoscere, ma che possono trovare una soluzione equilibrata anche in termini di sicurez-

91

za, rispettando però quella ispirazione umanitaria, cristiana e democratica, alla quale si sono dimostrati sensibili Stati civilissimi in circostanze analoghe, di fronte al problema della salvaguardia della vita umana innocente. Ed infatti, di fronte a quelli del Paese, ci sono i problemi che riguardano la mia persona e la mia famiglia.

Di questi problemi, terribili ed angosciosi, non credo vi possiate liberare, anche di fronte alla storia, con la facilità, con l'indifferenza, con il cinismo che avete manifestato sinora nel corso di questi quaranta giorni di mie terribili sofferenze. Con profonda amarezza e stupore ho visto in pochi minuti, senza nessuna seria valutazione umana e politica, assumere un atteggiamento di rigida chiusura.

L'ho visto assumere dai dirigenti, senza che risulti dove e come un tema tremendo come questo sia stato discusso.

Voci di dissenso, inevitabili in un partito democratico come il nostro, non sono artificiosamente emerse. La mia stessa disgraziata famiglia è stata, in certo modo, soffocata, senza che potesse disperatamente gridare il suo dolore ed il suo bisogno di me. Possibile che siate tutti d'accordo nel volere la mia morte per una presunta ragione di Stato che qualcuno lividamente vi suggerisce, quasi a soluzione di tutti i problemi del Paese? Altro che soluzione dei problemi. Se questo crimine fosse perpetrato, si aprirebbe una spirale terribile che voi non potreste fronteggiare. Ne sareste travolti. Si aprirebbe una spaccatura con le forze umanitarie che ancora esistono in questo Paese. Si aprirebbe, insanabile, malgrado le prime apparenze, una frattura nel partito che non potreste dominare.

Penso ai tanti e tanti democristiani che si sono abituati per anni ad identificare il partito con la mia persona. Penso ai miei amici della base e dei gruppi parlamentari. Penso anche ai moltissimi amici personali ai quali non potreste fare accettare questa tragedia. Possibile che tutti questi rinuncino in quest'ora drammatica a far sentire la loro voce, a contare nel partito come in altre circostanze di minor rilievo?

Io lo dico chiaro; per parte mia non assolverò e giustificherò nessuno. Attendo tutto il partito ad una prova di profonda serietà e umanità e con esso forze di libertà e di spirito umanitario che emergono con facilità e concordia in ogni dibattito parlamentare su temi di questo genere. Non voglio indicare nessuno in particolare, ma rivolgermi a tutti. Ma è soprattutto alla DC che si rivolge il Paese per le sue responsabilità, per il modo come ha saputo contemperare sempre sapientemente ragioni di Stato e ragioni umane e morali. Se fallisse ora, sarebbe per la prima volta. Essa sarebbe travolta dal vortice e sarebbe la sua fine.

Che non avvenga, ve ne scongiuro, il fatto terribile di una decisione di morte presa su direttiva di qualche dirigente ossessionato da problemi di sicurezza, come se non vi fosse l'esilio a soddisfarli, senza che ciascuno abbia valutato tutto fino in fondo, abbia interrogato veramente e fatto veramente parlare la sua coscienza. Qualsiasi apertura, qualsiasi posizione problematica, qualsiasi segno di consapevolezza immediata della grandezza del problema, con le ore che corrono veloci, sarebbero estremamente importanti.

Dite subito che non accettate di dare una risposta immediata e semplice, una risposta di morte. Dissipate subito l'impressione di un partito unito per una decisione di morte. Ricordate, e lo ricordino tutte le forze politiche, che la Costituzione repubblicana, come primo segno di novità, ha cancellato la pena di morte. Così, cari amici, si verrebbe a reintrodurre, non facendo nulla per impedirla, facendo con la propria energia, insensibilità e rispetto cieco della ragion di Stato, che essa sia di nuovo, di fatto, nel nostro ordinamento. Ecco nell'Italia democratica del 1978, nell'Italia del Beccaria, come nei secoli passati, io sono condannato a morte. Che la condanna sia eseguita, dipende da voi. A voi chiedo almeno che la grazia mi sia concessa: mi sia concessa almeno, come tu Zaccagnini sai, per essenziali ragioni di essere curata, assistita, guidata che ha la mia famiglia.

La mia angoscia in questo momento sarebbe di lasciarla sola – e non può essere sola – per la incapacità del mio partito ad assumere le sue responsabilità, a fare un atto di coraggio e responsabilità insieme.

Mi rivolgo individualmente a ciascuno degli amici che sono al vertice del partito e con i quali si è lavorato insieme per anni nell'interesse della DC. Pensa ai sessanta giorni cruciali di crisi, vissuti insieme con Piccoli, Bartolomei, Galloni, Gaspari sotto la tua guida e con il continuo consiglio di Andreotti. Dio sa come mi son dato da fare, per venirne fuori bene. Non ho pensato no, come del resto mai ho fatto, né alla mia sicurezza né al mio riposo.

Il Governo è in piedi e questa è la riconoscenza che mi viene tributata, per questa come per tante altre imprese. In allontanamento dai familiari senza addio, la fine solitaria, senza la consolazione di una carezza, del prigioniero politico condannato a morte. Se voi non intervenite, sarebbe scritta una pagina agghiacciante nella storia d'Italia. Il mio sangue ricadrebbe su voi, sul partito, sul Paese.

Pensateci bene cari amici. Siate indipendenti. Non guardate al domani ma al dopodomani.

Pensaci soprattutto tu Zaccagnini, massimo responsabile. Ricorda in questo momento – dev'essere un motivo pungente di riflessione per te – la tua straordinaria insistenza e quella degli amici che avevi a tal fine incaricato – la tua insistenza per avermi Presidente del Consiglio nazionale, per avermi partecipe e corresponsabile nella fase nuova che si apriva e che si profilava difficilissima. Ricordi la mia fortissima resistenza soprattutto per le ragioni di famiglia a tutti note. Poi mi piegai, come sempre, alla volontà del Partito. Ed eccomi qui, sul punto di morire, per averti detto di sì ed aver detto di sì alla DC. Tu hai dunque una responsabilità personalissima. Il tuo sì o il tuo no sono decisivi. Ma sai pure che, se mi togli alla famiglia, l'hai voluto due volte. Questo peso non te lo scrollerai di dosso più.

Che Iddio ti illumini, caro Zaccagnini, ed illumini gli amici, ai quali rivolgo un disperato messaggio. Non pensare ai pochi casi nei quali si è andati avanti diritti, ma ai molti risolti secondo le regole dell'umanità e perciò, pur nelle difficoltà della situazione, in modo costruttivo. Se la pietà prevale, il Paese non è finito.

Non tutti i giornali pubblicano la lettera. E la pietà, anche se qualcosa sommuove, non prevale.

La Democrazia Cristiana è, dicono i giornali, «lacerata dal dubbio». La famiglia Moro avanza pubblicamente la sua «ferma» richiesta a che il partito «dichiari la propria disponibilità ad accertare quali siano, in concreto, le condizioni per il rilascio del suo presidente». Il partito, lacerato più dalla certezza di non dover far nulla che dal dubbio, non trova di meglio che incaricare la Carità Internazionale – un ente umanitario vaticano di cui pochissimi fino a quel momento avevano sentito parlare – di «individuare possibili vie per indurre i rapitori dell'onorevole Moro a restituirlo in libertà». Impossibili vie, in concreto: poiché la Democrazia Cristiana tiene a riaffermare «la propria indefettibile fedeltà allo Stato democratico, alle sue istituzioni e alle sue leggi in operante solidarietà con i partiti costituzionali». Ma tra i partiti costituzionali, a quel punto il Socialista rompe l'*inoperante* solidarietà: vuol fare qualcosa per salvare la vita di Moro. Diventa così una specie di figliuol prodigo o di pecora nera.

A lenire la lacerazione della Democrazia Cristiana, interviene Paolo VI: qualche ora prima che scada l'ultimatum delle Brigate rosse e con una lettera che la radio vaticana diffonde e i giornali riproducono in autografo l'indomani. Lettera che sembra di alto sentire cristiano: solo che vi si cela, nell'esortazione agli uomini delle Brigate a liberare Moro «semplicemente, senza condizioni», una specie di confermazione – e sarebbe da dire *tout court* cresima – della Democrazia Cristiana in quella sua dichiarata «indefettibile fedeltà allo Stato».

Nella «prigione del popolo», a Moro non sfugge quel che alla generalità degli italiani, commossi dall'inginocchiarsi del papa davanti ai brigatisti, non appare: che Paolo VI ha più «senso dello Stato» di quanto abbia dimostrato di averne il principe Poniatowski, ministro degli Interni dello Stato francese, che in tempi non lontani aveva dichiarato ammissibile il principio di trattare coi terroristi per evitare il sacrificio «della vita umana innocente». Vale a dire che la pensava esattamente come Moro: né si può dire che lo Stato francese non sia Stato; lo è con tutti i sacramenti, è il caso di dire. I sacramenti che fanno Stato uno Stato; e magari in abbondanza.

E tenterà, Moro, di convincere il papa: «In concreto lo scambio giova (ed è un punto che umilmente mi permetto sottoporre al S. Padre) non solo a chi è dall'altra parte, ma anche a chi rischia l'uccisione, alla parte non combattente, in sostanza all'uomo comune come me». E in una delle ultime lettere, meno umilmente, farà notare come nell'atteggiamento della Santa Sede nei riguardi del suo caso ci sia una modifica di precedenti posizioni e un rinnegamento di tutta una tradizione umanitaria. «È una cosa orribile, indegna della S. Sede... Non so se Poletti (*il cardi-*

nale Poletti) può rettificare questa enormità in contraddizione con altri modi di comportarsi della S. Sede»: e certamente pensa all'offrirsi del papa, qualche mese prima, come ostaggio ai terroristi tedeschi che minacciavano la strage dei passeggeri di un aereo, a Mogadiscio. Offerta che allora apparve senza senso della realtà: ma veniva dall'unica realtà che un papa può ritrovare e celebrare, nell'assistere inerme e come sconfitto al ribollire della violenza.

Come era prevedibile, l'appello del papa passa come acqua sulle pietre; e la comunicazione della Democrazia Cristiana di aver dato incarico alla Carità di cercare « possibili vie » è considerata dalle Brigate rosse tutt'altro che chiara e definitiva (comunicato numero otto del 24 aprile). Ma l'ultimatum viene sospeso. Evidentemente, è la posizione assunta dal Partito Socialista Italiano a fermare le Brigate nell'esecuzione della sentenza. Forse, a questo punto, il governo potrebbe – anche spregiudicatamente, anche cinicamente – giuocare ad alimentare il dissenso che cova all'interno delle Brigate rosse: tra coloro che hanno deciso che Moro deve morire e coloro che lo libererebbero contro un cedimento anche simbolico dello Stato italiano. Non c'è – ripeto – nessun segno certo di un tale dissenso: eppure lo si intuisce, lo si sente, lo si intravede. Forse perché sto cercando di capire anche loro. Di capire gli «uomini delle Brigate rosse», come il papa li chiama: anche se non amandoli come il papa dice di amarli. Di capire quelli di loro che stanno a guardia di Moro e che lo processano: in quella difficile, terribile familiarità quotidiana che inevitabilmente si stabilisce. Nello scambiare parole, colloquiali o di accuse e discolpe. Nel consumare insieme i cibi. Nel sonno del prigioniero e nella veglia del carceriere. Nell'occuparsi della salute di quell'uomo condannato a morte. Nel leggere i suoi messaggi e nel rischio corso ogni volta per recapitarli. Tanti piccoli gesti; tante parole che inavvertitamente si dicono, ma che provengono dai più profondi moti dell'animo; un incontrarsi di sguardi nei momenti più disarmati; l'imprevedibile e improvviso scambio di un sorriso; i silenzi – sono tante le cose, tanti i momenti, che giorno dopo giorno – per più di cinquanta – possono insorgere ad affratellare il carceriere e il carcerato, il boia e la vittima. E al punto che il boia non può più essere boia.

In una sua lettera – quella del 29 aprile – Moro ad un certo punto dirà: «La pietà di chi mi recava la lettera (*dei familiari, pubblicata da un giornale*) ha escluso i contorni che dicevano la mia condanna (*da parte della Democrazia Cristiana: nel non voler trattare*)». E direi che è il momento più alto, più cristianamente alto, toccato dalla tragedia.

Col comunicato numero otto, le Brigate rosse dettano le condizioni per la restituzione di Moro. Vogliono la liberazione di tredici persone: un assortimento di brigatisti, protobrigatisti e neobrigatisti. L'assortimento è provocatorio: i protobrigatisti, benché al momento di essere giudicati avessero rivendicato moventi di palingenesi sociale e politica, dall'opinione generale erano stati considerati di non sofisticata delinquenza; e Cristoforo Piancone – il solo per cui vengono addotte giustificazioni alla richiesta di liberarlo: e perciò è forse quello di meno lunga militanza – è da appena due settimane che, dopo avere con altri ucciso la guardia carceraria Cotugno, si trova in carcere. Troppo recente il crimine, dunque, perché la richiesta non sembri provocatoria. In quanto a Curcio e agli altri veri e propri brigatisti, erano sotto processo a Torino, il processo ancora durava. E sarebbe stato meglio non farlo, rimandarlo a tempo più conveniente: ma una volta in corso, avrebbe aggiunto grottesco a grottesco il liberarli prima della sentenza o subito dopo.

Ma a parte l'evidente provocazione che è nell'assortimento dei nomi, c'è da chiedersi perché proprio tredici. Le Brigate rosse non saranno superstiziose: ma sanno benissimo che gli italiani lo sono. Non c'è, nel loro fermarsi a tredici, una nascosta irrisione e macabra: un voler dire che sanno le trattative non arriveranno ad approdo e la sfortuna di Moro è già segnata?

Il senso che all'interno delle Brigate si sia aperta quella dicotomia cui si è accennato, si fa più vivo. Tra questo comunicato e le lettere di Moro – il quale indubbiamente tiene conto del punto di vista dei brigatisti che ha intorno – c'è differenza. I brigatisti che parlano con Moro sembra siano nell'ordine d'idee di *salvare la faccia*: e del resto consegnerebbero un Moro, come si dice in linguaggio mafioso, già «morto nel cuore degli amici»; politicamente morto, per come mestamente salutato da Montanelli e proclamato dall'onorevole Trombadori. I brigatisti che emettono i comunicati sembra vogliano invece ottenere un irrigidimento governativo, un «no» assoluto e definitivo che consenta loro di eseguire la sentenza.

Già il 19 aprile il giornale «Lotta continua», della sinistra a sinistra del Partito Comunista, aveva pubblicato un appello per la liberazione di Moro firmato, oltre che da esponenti della sinistra più a sinistra (anche da Dario Fo), da vescovi, da intellettuali laici e cattolici (tra cui Raniero La Valle, cattolico eletto senatore nelle liste del Partito Comunista) e persino da due comunisti di prestigio come Umberto Terracini e Lucio Lombardo Radice. Ma le Brigate rosse mettono anche questo nel mazzo degli appelli rivolti loro da «alcune personalità del mondo borghese» e da «alcune autorità religiose» (tra le quali sarebbe il papa): e invitano coloro che l'hanno firmato a rivolgere analogo appello alla Democrazia Cristiana e al suo governo per la liberazione dei tredici brigatisti. Invito che, rivolto al papa e ai vescovi, va benissimo: poiché, come si è già notato, quel che nell'appello del papa è un di più, e cioè un di meno, è di chiedere alle Brigate rosse una conversione (il papa nel ruolo di san Francesco, le Brigate in quello del lupo di Gubbio) senza, d'altra parte, chiedere ai cattolici che governano lo Stato di ricordarsi che la salvezza della vita umana innocente (e tale è per il papa quella di Moro: «uomo buono ed onesto, che nessuno può incolpare di qualsiasi reato, o accusare di scarso senso sociale e di mancato servizio alla giustizia e alla pacifica convivenza») è principio superiore ad ogni altro. Per gli uomini che rappresentano la Chiesa di Cristo, per colui che sommamente la rappresenta, non dovrebbe esserci che quello che il conte Attilio chiama *supposto impossibile*, e cioè il «debole parere» di padre Cristoforo: «il mio debole parere sarebbe che non vi fossero né sfide, né portatori, né bastonate» (*I promessi sposi*, capitolo v).

Non è altrettanto giusto, l'invito, per quel che attiene a «Lotta continua» e ad altri, della sinistra più a sinistra, che hanno firmato l'appello: i quali hanno in un certo senso il diritto di avvertire le Brigate rosse, chiuse nella loro monade di follia ideologica-giudiziaria, del nefasto errore in cui stanno cadendo e di cui lo Stato – in quei sussulti di reazione che nascono dall'impotenza e seguono alle sconfitte – facilmente avrebbe potuto ad un certo punto far pagare il prezzo proprio a loro: e cioè a quella parte della sinistra più scopertamente vicina, in teoria, alle posizioni delle Brigate rosse.

Nella stessa giornata, 24 aprile, in cui a molti giornali arriva il comunicato numero otto, al giornale «Vita» (cattolico) arriva altra lettera di Moro a Zaccagnini. Più drammaticamente vi sono ribadite le cose già dette nelle lettere precedenti e che – queste sì «indefettibilmente» – rispondono a quel che Moro ha sempre pensato: il governo come emanazione della Democrazia Cristiana; la salvezza della vita umana innocente come prescritta da un codice superiore e insopprimibile; la «nessuna ragione politica e morale» perché un tal codice non venga, anche nel suo caso, applicato. C'è di nuovo il mettersi di Moro nel punto di vista del militante democristiano di base. Abituato a conoscere i dissensi, di corrente e personali, che si svolgono nel partito, questa volta nulla sa il democristiano di quel che nel partito accade, delle discussioni e degli scontri che debbono pur esserci su un caso tanto grave. «Ora di questa vicenda, la più grande e gravida di conseguenze che abbia investito da anni la DC, non sappiamo nulla o quasi. Non conosciamo la posizione del Segretario né del Presidente del Consiglio: vaghe indiscrezioni dell'on. Bodrato con accenti di generico carattere umanitario...». Moro coglie precisamente: a quel momento una inquietudine, un disagio, un senso di colpa comincia a circolare non soltanto tra i democristiani di base, ma pure tra quelli che hanno importanti cariche nel partito anche se sono esclusi da quel ristretto consesso in cui maturano le indecisioni-decisioni sull'*affaire*.

Ma nonostante dibatta ancora il problema ed esorti a risolverlo, Moro è ormai certo che nulla sarà fatto per salvarlo. Più come ammonizione e previsione che come minaccia, scrive: «Non creda la DC di avere chiuso il suo problema, liquidando Moro. Io ci sarò ancora come un punto irriducibile di contestazione e di alternativa per impedire che della DC si faccia quello che se ne fa oggi». E conclude: «Per questa ragione, per una evidente incompatibilità, chiedo che ai miei funerali non partecipino né autorità dello Stato né uomini di partito. Chiedo di essere seguito dai pochi che mi hanno veramente voluto bene e sono degni perciò di accompagnarmi con la loro preghiera e con il loro amore».

« Il popolo », giornale della Democrazia Cristiana, pubblica la lettera di Moro « per dovere d'informazione » e « per un rispetto indistruttibile » al Moro di prima. Del Moro di oggi, il giornale trova attenuanti alle colpe di disamore allo Stato e di rimproveri al partito nel fatto che è tenuto nel « buio più profondo » e in condizioni di « grave costrizione ».

È il 25 aprile: giorno in cui si celebra la liberazione dal nazifascismo. La marea della retorica sale. La Resistenza al nazifascismo, valore indistruttibile quanto il rispetto della Democrazia Cristiana ad Aldo Moro, viene invocata e trasposta come resistenza alle trattative per salvare la vita di Moro. Il guaio è che quella Resistenza è un valore indistruttibile anche per le Brigate rosse: credono di esserne i figli, di continuarla o di ripeterla. Nessuno ha spiegato loro che non si trattava di una rivoluzione lasciata a mezzo e con la riserva di riaccenderla a più conveniente momento, ma di un ritorno invece: di un ritorno all'Italia prefascista – e col paradosso della continuità giuridica con l'Italia fascista – in cui, in qualche modo, a tentoni, ad improvvisazione, si sarebbe tenuto conto delle idee, dei fatti, delle cose nuove e migliori che intanto correvano nel mondo.

Nella sede centrale della Democrazia Cristiana, nella romana piazza del Gesù, viene distribuito ai giornalisti un documento che ho già definito, per come mi parve e mi pare, mostruoso. Una cinquantina di persone, «amici di vecchia data» dell'onorevole Moro, solennemente assicurano che l'uomo che scrive le lettere a Zaccagnini, che chiede di essere liberato dal «carcere del popolo» e argomenta sui mezzi per farlo, non è lo stesso uomo di cui sono stati lungamente amici, al quale per «comunanza di formazione culturale, di spiritualità cristiana e di visione politica» sono stati vicini. «Non è l'uomo che conosciamo, con la sua visione spirituale, politica e giuridica che ha ispirato il contributo alla stesura della stessa Costituzione repubblicana».

Si sa come in Italia, e specialmente tra gli intellettuali, si raccolgono adesioni a manifesti e dichiarazioni di protesta civile: spesso per telefono, sommariamente comunicandone il contenuto. E distrattamente, fidando nella comunanza di idee o di opinioni con colui che la chiede, l'adesione vien data: come a scrollarsi di un fastidio che frequentemente ricorre. È possibile, dunque, che qualcuno con uguale distrazione abbia aderito a questa dichiarazione su Moro, per dirla pirandellianamente, «uno e due». Ma non si doveva. Non si trattava di una protesta civile, ma piuttosto, di una incivile protestazione. Da protesto, non da protesta. A Moro viene protestata la cambiale di quel che si credeva fosse. O meglio: di quel che si voleva fosse.

Tra i firmatari della protestazione, colpisce la presenza di un filologo illustre e di un non meno illustre esegeta di sant'Agostino, e cardinale per giunta. Come fa il filologo a non accorgersi che il Moro che scrive dal «carcere del popolo» è integralmente e lucidamente il Moro che ha scritto sull'*antigiuridicità nel diritto penale*, che ha scritto nel 1945 gli articoli che la rivista «Studium» ripropone (numero del marzo-aprile '78), che meno di due mesi prima ha pronunciato in Parlamento quel discorso a difesa dell'onorevole Gui? E come fa l'esegeta di Agostino a non sapere quanto è difficile, addirittura impossibile, conoscere un uomo; quanto arrogante – senza amore, senza carità – il voler apporre certificazione e giudizio a quel che era e a quel che non è più, a come era e a come non è? «Io ritengo giustissima quella legge dell'amicizia secondo la quale non si deve amare l'amico né più né meno di quanto noi stessi ci amiamo. Ora se anch'io sono sconosciuto a me stesso, non gli faccio davvero torto dicendo che lui è a me sconosciuto; tanto più che, come credo, neppure lui si conosce». O, travalicando la legge che Agostino accetta, il cardinale ha amato Moro più di se stesso e quindi più di se stesso ha conosciuto il Moro di prima?

Non lo ha conosciuto per nulla. E, quel che è peggio, ora rifiuta di avvicinarsi a conoscerlo: ora che come non mai dovrebbe conoscerlo, riconoscerlo, non abbandonarlo, non lasciarlo «uomo solo» di fronte alla morte, la tremenda morte che gli viene da altri uomini. «Il vescovo – ha scritto il cardinale di Agostino – vuole attuare la verità dentro il suo cuore: davanti a Dio nella sua confessione, e nel suo scritto davanti a molti testimoni». In questo scritto, che per averlo firmato è anche suo, in questo misconoscimento dell'uomo chiuso nella «prigione del popolo», il cardinale-arcivescovo, l'esegeta di Agostino, ha davvero creduto di attuare davanti a molti testimoni, e davanti al maggior testimonio che era Moro, la verità del suo cuore? È una domanda in cui mi sgomento, in cui mi smarrisco: io che non sono del gregge di quel pastore. E quale sarà stato lo sgomento e lo smarrimento di Moro?

Dice: «non l'avrei creduto possibile». Nella lettera che a un giornale romano perviene la sera del 27 aprile e che vale la pena rileggere integralmente.

Dopo la mia lettera comparsa in risposta ad alcune ambigue, disorganiche, ma sostanzialmente negative posizioni della DC sul mio caso, non è accaduto niente. Non che non ci fosse materia da discutere. Ce n'era tanta. Mancava invece al partito, al suo segretario, ai suoi esponenti il coraggio civile di aprire un dibattito sul tema proposto che è quello della salvezza della mia vita e delle condizioni per conseguirla in un quadro equilibrato. È vero: io sono prigioniero e non sono in uno stato d'animo lieto. Ma non ho subìto nessuna coercizione, non sono drogato, scrivo con il mio stile per brutto che sia, ho la mia solita calligrafia. Ma sono, si dice, *un altro* e non merito di essere preso sul serio. Allora ai miei argomenti neppure si risponde. E se io faccio l'onesta domanda che si riunisca la direzione o altro organo costituzionale del partito, perché sono in gioco la vita di un uomo e la sorte della sua famiglia, si continua invece in degradanti conciliaboli, che significano paura del dibattito, paura della verità, paura di firmare col proprio nome una condanna a morte.

E devo dire che mi ha profondamente rattristato (non lo avrei creduto possibile), il fatto che alcuni amici, da Mons. Zama, all'avv. Veronese, a G.B. Scaglia ed altri, senza né conoscere né immaginare la mia sofferenza, non disgiunta da lucidità e libertà di spirito, abbiano dubitato dell'autenticità di quello che andavo sostenendo, come se io scrivessi su dettatura delle Brigate Rosse. Perché questo avallo alla pretesa mia non autenticità? Ma tra le Brigate Rosse e me non c'è la minima comunanza di vedute. E non fa certo identità di vedute la circostanza che io abbia sostenuto sin dall'inizio (e, come ho dimostrato, molti anni fa) che ritenevo accettabile, come avviene in guerra, uno scambio di prigionieri politici. E tanto più quando, non scambiando, taluno resta in grave sofferenza, ma vivo, l'altro viene ucciso. In concreto lo scambio giova (ed è un punto che umilmente mi permetto sottoporre al S. Padre) non solo a chi è dall'altra parte, ma anche a chi rischia l'uccisione, alla parte non combattente, in sostanza all'uomo comune come me.

Da che cosa si può dedurre che lo Stato va in rovina, se, una volta tanto, un innocente sopravvive e, a compenso, altra persona va invece che in prigione, in esilio? Il discorso è tutto qui. In questa posizione, che condanna a morte tutti i prigionieri delle Brigate Rosse (ed è prevedibile ce ne siano) è arroccato il Governo, è arroccata caparbiamente la DC, sono arroccati in generale i partiti con qualche riserva del Partito Socialista, riserva che è augurabile sia chiarita d'urgenza e positivamente, dato che non c'è tempo da perdere. In una situazione di questo genere, i socialisti potrebbero avere funzione decisiva. Ma quando? Guai, caro Craxi, se una tua iniziativa fallisse. Vorrei ora tornare un momento indietro con questo ragionamento che fila come filavano i miei ragionamenti di un tempo. Bisogna pur ridire a questi ostinati immobilisti della DC che in moltissimi casi scambi sono stati fatti in passato, ovunque, per salvaguardare ostaggi, per salvare vittime innocenti. Ma è tempo di aggiungere che, senza che almeno la DC lo ignorasse, anche la libertà (con l'espatrio) in un numero discreto di casi è stata concessa a palestinesi, per parare la grave minaccia di ritorsioni e rappresaglie capaci di arrecare danno rilevante alla comunità. E, si noti, si trattava di minacce serie, temibili, ma non aventi il grado d'immanenza di quelle che oggi ci occupano. Ma allora il principio era stato accettato. La necessità di fare uno strappo alla regola della legalità formale

110

(in cambio c'era l'esilio) era stata riconosciuta. Ci sono testimonianze ineccepibili che permetterebbero di dire una parola chiarificatrice. E sia ben chiaro che, provvedendo in tal modo, come la necessità comportava, non s'intendeva certo mancare di riguardo ai paesi amici interessati i quali infatti continuarono sempre nei loro amichevoli e fiduciosi rapporti.

Tutte queste cose dove e da chi sono state dette in seno alla DC? È nella DC dove non si affrontano con coraggio i problemi. E al caso che mi riguarda, è la mia condanna a morte, sostanzialmente avallata dalla DC, la quale, arroccata sui suoi discutibili principi, nulla fa per evitare che un uomo, chiunque egli sia, ma poi un suo esponente di prestigio, un militante fedele sia condotto a morte. Un uomo che aveva chiuso la sua carriera con la sincera rinuncia a presiedere il governo, ed è stato letteralmente strappato da Zaccagnini (e dai suoi amici tanto abilmente calcolatori) dal suo posto di pura riflessione e di studio, per assumere l'equivoca veste di Presidente del Partito, per il quale non esisteva un adeguato ufficio nel contesto di Piazza del Gesù. Son più volte che chiedo a Zaccagnini di collocarsi lui idealmente al posto ch'egli mi ha obbligato ad occupare. Ma egli si limita a dare assicurazioni al Presidente del Consiglio che tutto sarà fatto com'egli desidera.

E che dire dell'on. Piccoli, il quale ha dichiarato, secondo quanto leggo da qualche parte, che se io mi trovassi al suo posto (per così dire libero, comodo, a Piazza, ad esempio, del Gesù), direi le cose che egli dice e non quelle che dico stando qui. Se la situazione non fosse (e mi limito nel dire) così difficile, così drammatica quale essa è,

111

vorrei ben vedere che cosa direbbe al mio posto l'on. Piccoli. Per parte mia ho detto e documentato che le cose che dico oggi le ho dette in passato in condizioni del tutto oggettive. È possibile che non vi sia una riunione statutaria e formale, quale che ne sia l'esito? Possibile che non vi siano dei coraggiosi che la chiedano, come io la chiedo con piena lucidità di mente? Centinaia di parlamentari volevano votare contro il Governo. Ed ora nessuno si pone un problema di coscienza? E ciò con la comoda scusa che io sono un prigioniero.

Si deprecano i lager, ma come si tratta civilmente un prigioniero, che ha solo un vincolo esterno, ma l'intelletto lucido? Chiedo a Craxi, se questo è giusto. Chiedo al mio partito, ai tanti fedelissimi delle ore liete, se questo è ammissibile. Se altre riunioni formali non le si vuol fare, ebbene io ho il potere di convocare per data conveniente e urgente il Consiglio Nazionale avendo per oggetto il tema circa i modi per rimuovere gli impedimenti del suo Presidente. Così stabilendo, delego a presiederlo l'on. Riccardo Misasi.

È noto che i gravissimi problemi della mia famiglia sono la ragione fondamentale della mia lotta contro la morte. In tanti anni e in tante vicende i desideri sono caduti e lo spirito si è purificato. E, pur con le mie tante colpe, credo di avere vissuto con generosità nascoste e delicate intenzioni. Muoio, se così deciderà il mio partito, nella pienezza della mia fede cristiana e nell'amore immenso per una famiglia esemplare che io adoro e spero di vigilare dall'alto dei cieli. Proprio ieri ho letto la tenera lettera di amore di mia moglie, dei miei figli, dell'amatissimo nipotino, dell'altro che non vedrò. La pietà di chi mi recava la lettera ha

112

escluso i contorni che dicevano la mia condanna, se non avverrà il miracolo del ritorno della DC a se stessa e la sua assunzione di responsabilità. Ma questo bagno di sangue non andrà bene né per Zaccagnini, né per Andreotti, né per la DC, né per il Paese: ciascuno porterà la sua responsabilità.

Io non desidero intorno a me, lo ripeto, gli uomini del potere. Voglio vicino a me coloro che mi hanno amato davvero e continueranno ad amarmi e pregare per me. Se tutto questo è deciso, sia fatta la volontà di Dio. Ma nessun responsabile si nasconda dietro l'adempimento di un presunto dovere. Le cose saranno chiare, saranno chiare presto.

Ci sono, in questa lettera, tante cose da segnare, su cui riflettere. E da decifrare. Intanto, questa frase: «non scambiando, taluno resta in grave sofferenza, ma vivo, l'altro viene ucciso». *Taluno*: «pronome indicante qualità; adoprasi bene laddove si tratti appunto di fermare l'attenzione sopra la qualità d'una o più persone; ma d'ordinario, non molte». (Ancora il Tommaseo: sto scrivendo queste pagine sull'*affaire* Moro in un mareggiare di ritagli di giornali e col dizionario del Tommaseo solido in mezzo come un frangiflutti). Indubbiamente, Moro vuol richiamare l'attenzione dei destinatari della lettera, e che vi si fermi, sulla qualità dell'una o più persone che lo Stato dovrebbe cedere: e che dunque si può trattare sul numero, e cioè andare al di sotto dei tredici di cui le Brigate hanno domandato la liberazione. E ribadisce: «lo Stato va in rovina, se, una volta tanto, un innocente sopravvive e, a compenso, altra persona va invece che in prigione, in esilio?». Il taluno è diventato uno: non c'è dubbio. E tanto più che come a dire: *una sola persona, avete capito bene*, aggiunge: «Il discorso è tutto qui». E parrebbe anche di poter interpretare che questa «altra persona» non è ancora in carcere, ma dovrebbe andarci.

Le Brigate rosse, dunque, o almeno la cellula che lo detiene, lo hanno eletto a mediatore di una possibile trattativa e gli hanno confidato il prezzo ultimo – simbolico o per loro effettivamente importante – che vogliono sia pagato dallo Stato. Moro ne fa una *avance* abbastanza esplicita: ma non viene intesa da chi dovrebbe intenderla. È ormai il 31 e 47 che nella cabala siciliana del giuoco del lotto corrisponde al «morto che parla». Che parla nei sogni o negli incubi degli «amici». Che continuerà a parlare.

Tante altre cose sarebbero da segnare: dall'avvertimento a Craxi e ai socialisti, cui si può conferire un senso che va al di là dell'iniziativa di salvargli la vita, a quel tornare sul nome di Misasi per delegarlo a presiedere il Consiglio Nazionale della Democrazia Cristiana: nome che le cronache non avevano fino a quel momento mai fatto come di uno che avesse manifestato, nei consessi segreti del partito, inclinazione alle trattative: e a meno che non sia

114

stata un'intuizione quasi divinatoria, qualcuno a Moro l'avrà rapportato. Inquietante ipotesi: da lasciare cioè, come Moro l'ha lasciata, all'inquietudine degli «amici». E c'è poi quel «leggo da qualche parte», da notare come elemento probante di quella che ho chiamato l'etica carceraria delle Brigate rosse: che gli davano da leggere il giornale, e forse più di uno. O gli facevano una specie di servizio stampa, ritagliandogli con mutevole criterio quel che ritenevano di fargli conoscere. Ma fatto sta che era informato; e che dica dettato dalla pietà il fatto che dal quotidiano «Il giorno» del 26 aprile gli sia stata consegnata la sola lettera dei figli, ritagliata ad escludere «i contorni che dicevano la *sua* condanna», può anche significare che fino a quel punto i giornali glieli avevano dati interi.

E infine, ecco, c'è la parola che per la prima volta scrive nella più atroce nudità; la parola che finalmente gli si è rivelata nel suo vero, profondo e putrido significato: la parola «potere». «Io non desidero intorno a me, lo ripeto, gli uomini del potere». Ma nella precedente lettera aveva parlato di «autorità dello Stato» e «uomini di partito»: è soltanto ora che è arrivato alla denominazione giusta, alla spaventosa parola.

Per il potere e del potere era vissuto fino alle nove del mattino di quel 16 marzo. Ha sperato di averne ancora: forse per tornare ad assumerlo pienamente, certamente per evitare di affrontare *quella* morte. Ma ora sa che l'hanno gli altri: ne riconosce negli altri il volto laido, stupido, feroce. Negli «amici», nei «fedelissimi delle ore liete»: delle macabre, oscene ore liete del potere.

«Le ore liete», le ore liete del potere. Con ironia. Un'ironia che viene da lontano: e ora amara, dolorosa.

Non pare abbia mai avuto letizia di potere. L'ha amato, ma l'ha anche sofferto. L'essere tra gli *altri* il migliore, e il dover disprezzarli, forse gli dava cristiana misura della propria miseria. Ed era questa la differenza tra lui e gli *altri*; e la ragione per cui tra gli *altri* – e in un certo senso dagli *altri* – è stato prescelto alla morte.

Nella sua storia già come scritta, nella sua storia già opera letteraria (e che qui soltanto si tenta di interpretare), ci sono già da prima i segni premonitori. E si scorra il *Moro* di Corrado Pizzinelli, pubblicato nel 1969: una biografia scritta per una collezione che s'intitola «Gente famosa», sulla cronaca e come cronaca. Ci sono dei punti in cui il giornalista sembra fermarsi come su dei presagi: e figuriamoci oggi il lettore, dopo la tragedia. Parla, ecco, di Moro ministro della Giustizia: «Come guardasigilli mette in eccezionale rilievo tutti i suoi difetti. È pignolo, minuzioso, lento e meticoloso fino all'eccesso ... Intanto a che cosa dedica la sua maggiore attenzione? Sorpresa. Alle carceri e ai carcerati, cui fa lunghe, lunghissime visite ... Le sue esplorazioni in questo sottofondo della vita sociale italiana sono continue e minuziose. Vien voglia di chiedere a uno psicanalista quali potrebbero essere le motivazioni segrete della curiosa propensione per le galere e i galeotti che ha l'uomo cui, non dimentichiamolo, piacciono tanto le cravatte e i loro nodi». E non è inquietante che il giornalista abbia associato le ispezioni nelle carceri alle cravatte e ai nodi delle cravatte – e cioè all'impiccagione? E parlando del periodo in cui è stato presidente dei governi di centrosinistra: «Iniziatosi con la morte di Kennedy» questo periodo effettualmente si chiude il 6 giugno 1968, alla notizia dell'assassinio dell'altro Kennedy. «Destino curioso: è nell'arco fra queste due tragiche morti che Moro è stato al governo». E ancora: «Una parola, fatalità, torna spesso nei suoi discorsi...».

Ma lasciando le coincidenze e tornando ai fatti che le contengono: dopo la lettera di Moro del 27 aprile – l'ultima diretta alla Democrazia Cristiana e al mondo politico italiano: a meno che non ce ne siano altre tenute segrete – la famiglia affida ai giornali un duro comunicato:

La famiglia di Aldo Moro, dopo tanti giorni di attesa angosciosa, rivolge un pressante appello alla DC affinché essa assuma con coraggio le proprie responsabilità per la liberazione del suo presidente. La famiglia ritiene che l'atteggiamento della DC sia del tutto insufficiente a salvare la vita di Aldo Moro.

Sappia la delegazione democristiana, sappiano gli onorevoli Zaccagnini, Piccoli, Bartolomei, Galloni e Gaspari che con il loro comportamento di immobilità e di rifiuto di ogni iniziativa proveniente da diverse parti ratificano la condanna a morte di Aldo Moro. Se questi cinque uomini non vogliono assumere la responsabilità di dichiararsi disponibili alla trattativa, convochino almeno il Consiglio nazionale della DC, come formalmente richiesto dal suo presidente.

La nostra coscienza non può più tacere di fronte all'atteggiamento della DC. Crediamo, con questo appello, di interpretare anche la volontà del nostro congiunto. Egli non riesce ad esprimerla direttamente senza essere dichiarato sostanzialmente pazzo dalla quasi totalità del mondo politico italiano e in prima linea dalla DC e da gruppi ad essa paralleli di sedicenti «amici» e «conoscenti» di Aldo Moro.

Per evitare una lunga stagione di dolore e di morte, non serve negare la dura realtà; occorre invece affrontarla con lucido coraggio.

Il governo risponde, due giorni dopo, con una nota, dicono i giornali, «scritta di pugno d'Andreotti». E sarebbe da portare anche questo all'attenzione dello psicanalista: il fatto che i giornalisti tengano al particolare di Andreotti che scrive «di pugno» il comunicato del governo. È un'immagine: di un uomo che scrive una sentenza. Comincia forse da questa focalizzazione di un particolare fisico quell'inconscio processo di deresponsabilizzazione che presto o tardi finirà con l'esplodere (e se presto, primamente segnerà la fine del governo Andreotti).

La nota del governo dice:

L'invito al governo rivolto dalla DC di approfondire il contenuto della soluzione umanitaria adombrata dal PSI, avrà un seguito in una riunione del Comitato interministeriale per la sicurezza che avrà luogo nei prossimi giorni. Si osserva tuttavia fin d'ora che è nota la linea del governo di non ipotizzare la benché minima deroga alle leggi dello Stato e di non dimenticare il dovere morale del rispetto del dolore delle famiglie che piangono le tragiche conseguenze dell'operato criminoso degli eversori.

Se davvero questa nota l'ha scritta Andreotti, e di suo pugno, l'ha scritta più nel linguaggio di Moro che nel proprio. Di solito lui è più chiaro, più banalmente chiaro. Quale coincidenza riconosceremo più tardi in questo fatto? Traduciamo, intanto: «La Democrazia Cristiana chiede al governo democristiano di tener quieto il Partito Socialista, sulla cui quiete è fondata la quiete del governo, mostrando una certa considerazione nei riguardi di una soluzione umanitaria del caso Moro. Il governo intende e sta al giuoco: ci sarà una ristretta riunione di ministri assolutamente inutile, poiché il governo ha già deciso di non trattare in nessun modo con le Brigate rosse, per il rispetto che si deve alle famiglie i cui congiunti sono stati uccisi dai brigatisti».

Ha ragione Moravia: in Italia, la famiglia spiega tutto, giustifica tutto, è tutto. Come diceva Lincoln per la democrazia: dalla famiglia, per la famiglia, alla famiglia. E dunque per sopravanzare le ragioni della famiglia Moro, per annientarle – poiché in quanto famiglia di ragioni ne ha – non c'è niente di meglio che servirle un certo numero di famiglie già in lutto, e quantomeno le cinque di coloro che facevano scorta all'onorevole Moro. Una ulteriore e più libera traduzione della nota, e più realistica, suonerebbe dunque così: «Il governo, altrimenti impotente, può mostrare la sua forza, e in qualche modo attenuare le critiche e i risentimenti che alla sua impotenza si rivolgono, soltanto lasciando che le Brigate rosse procedano a una soluzione *egualitaria* del caso Moro. Se poi l'Innominato che le comanda sarà, per le preghiere del Santo Padre, toccato dalla Grazia come l'Innominato del Manzoni, il governo non potrà che dirsi lieto della restituzione alla famiglia dell'onorevole Moro».

Il 1° maggio i giornali pubblicano la notizia che altre lettere di Moro sono arrivate al presidente della Repubblica Leone, al presidente del Senato Fanfani, al presidente della Camera dei deputati Ingrao, al presidente del Consiglio Andreotti, al presidente del gruppo parlamentare democristiano Piccoli (oggi presidente della Democrazia Cristiana: la carica che fu di Moro). E si ha l'impressione che nel rivolgersi a tanti presidenti, a tanti uomini che stanno ai vertici del potere, Moro abbia voluto come esaurire il suo compito, il suo dovere: verso se stesso, verso la «famiglia»; e ormai con poca speranza.

Una lettera ha mandato anche a Misasi; e una a Craxi, segretario del Partito Socialista.

Di queste sette lettere, soltanto due se ne conoscono: quella a Craxi, resa pubblica dal destinatario; e quella a Leone, pervenuta, pare, a un'agenzia di stampa.

Ha tanta poca speranza, ormai, sa così bene di avere – come dice a Craxi – «un respiro minimo», che nella breve e cerimoniosa lettera a Leone si lascia andare a un tratto di ironia (ma forse c'è ironia anche nella cerimoniosità): «Le tante forme di solidarietà speri-

122

mentate t'indirizzino per la strada giusta».
Tra le forme di solidarietà sperimentate da
Leone, c'era quella che venutagli due mesi
dopo a mancare doveva costringerlo alle dimissioni. E forse a quella Moro principalmente allude: del Partito Comunista.

Il 5 maggio arriva alla stampa il comunicato numero nove delle Brigate rosse. Oltre alle solite
accuse al SIM, alla DC, agli assassini «capeggiati
da Andreotti», a Berlinguer e ai berlingueriani,
contiene una polemica contro Craxi e il Partito
Socialista eccessiva se non addirittura gratuita.
E viene il sospetto che la «centrale» abbia sentito il bisogno di muovere tale polemica diciamo
per uso interno, contro la «periferia»: ad avvertimento e rimprovero, insomma, verso coloro
che avrebbero voluto continuare le trattative
«al di sotto dei tredici»: e cioè chiedendo allo
Stato italiano un prezzo meno mortificante di
quello della liberazione dei tredici brigatisti. E
si può anche, da questo sospetto, far rampollar-
ne un altro: che le Brigate rosse tendessero a
squalificare elettoralmente – nelle elezioni par-
ziali che ci sarebbero state da lì a una settimana
– il Partito Socialista: squalificazione che per
loro parte quei giornali che le Brigate chiamano «di regime» alacremente conducevano (ti-
toli: *Craxi è passato sull'altra barricata*; *I socialisti
sono isolati*; *Craxi insiste ma incontra molte resisten-
ze*; *L'iniziativa di Craxi si sgonfia*; *Craxi costretto a
ripiegare sulla linea della DC*). Ed è un sospetto su
cui varrebbe la pena fermarsi, riflettere.

Alla fine del comunicato, l'annuncio tremendo: «Concludiamo quindi la battaglia iniziata il 16 marzo, eseguendo la sentenza a cui Aldo Moro è stato condannato».

«Eseguendo»: gerundio presente del verbo eseguire. Un presente *dilatabile*. E si preferisce dilatarlo verso il futuro, verso la speranza. «Tutta la nostra attenzione» dichiara il direttore del giornale democristiano «Il popolo» «è concentrata sul gerundio». C'è da dubitare che una concentrazione sul gerundio sia mai valsa e possa mai valere a salvare una vita: ma ormai siamo nel surreale. Pieno di speranza, il gerundio sale come un palloncino all'idrogeno: fluttua tra le direzioni dei partiti, le redazioni dei giornali, la radio, la televisione, i discorsi della gente. Non il gerundio presente del verbo eseguire, ma la parola gerundio. Un buon terzo della popolazione italiana si chiede che cosa è questo gerundio cui ci si affida per salvare la vita di Moro. Sarà sinonimo di intermediario? Sarà un ente di autorità morale superiore a quella del papa? Sarà un corpo di polizia speciale, particolarmente addestrato ed attrezzato per azioni di estremo rischio e di estrema precisione? Sarà il nome di una persona che ha un qualche potere sulle Brigate rosse?

La vita e la morte di Aldo Moro – la vita o la morte – perdono di realtà: sono presenti soltanto in un gerundio, sono soltanto un gerundio presente.

C'è un *postscriptum* al comunicato numero nove delle Brigate rosse (quello del gerundio):

Le risultanze dell'interrogatorio ad Aldo Moro e le informazioni in nostro possesso, ed un bilancio complessivo politico-militare della battaglia che qui si conclude, verrà fornito al Movimento Rivoluzionario e alle O.C.C. (*Organizzazioni Comuniste Combattenti*) attraverso gli strumenti di propaganda clandestini.

È la confessione di una sconfitta.
Già anticipata nel comunicato numero sei, questa decisione di destinare soltanto alla diffusione clandestina le «risultanze» del processo a Moro assume, nel comunicato che dà per certa l'esecuzione della sentenza, un senso di più evidente e sinistra menzogna: a nascondere, appunto, la sconfitta. Nel comunicato numero tre avevano detto: «niente deve essere nascosto al popolo ed è questo il nostro costume»; lo avevano ribadito, in maiuscole, nel comunicato numero cinque; nel sei, pur avendo già scelto la diffusione clandestina, vagamente promettevano: «tutto sarà reso noto al popolo». Ma nel nove questa

promessa sembra del tutto dimenticata. Ci sono o non ci sono «le risultanze dell'interrogatorio ad Aldo Moro»? E, domanda ancora più grave, c'è ancora il popolo «cui niente deve essere nascosto»?

Forse si può rispondere con un no ad entrambe le domande. L'interrogatorio a Moro non gli ha lasciato nulla in mano che possa esplodere come rivelazione, servire come accusa; e la decisione di ucciderlo è ovvio agisca in loro, inconsciamente, ad accrescere il senso e il sentimento di una separazione, di un isolamento, di una chiusura sempre più stretta in quella monade che ormai ha solo dei sotterranei, segreti passaggi – passaggi che a conveniente momento, e non da loro, saranno chiusi.

Si pensi con quale esultanza hanno diffuso la lettera di Moro contro Taviani e con quale immaginabile soddisfazione ne avranno constatato l'effetto – di timore, di smarrimento – nell'area del potere democristiano. E con quale godimento hanno assaporato, nel comunicato numero sette, la battuta di Moro su Andreotti: «nel caso che lo riguarda vede come in particolare il suo compare Andreotti cercherà con ogni mezzo di trasformarlo in un "buon affare" (così lo definisce Moro), come ha sempre fatto in tutta la sua carriera...». Possibile dunque che avendo in mano altre rivelazioni di Moro, altri giudizi, rinuncino a farli conoscere? E per quale calcolo?

Il fatto è che dentro questa Democrazia Cristiana che lo dice mutato, che lo misconosce, che lo nega; dentro questo partito momentaneamente snaturato da suggerimenti esterni («qualcuno lividamente vi suggerisce»), Moro vede una Democrazia Cristiana che è la sua: invertebrata, disponibile, cedevole e al tempo stesso tenace, paziente, prensile; una specie di polipo che sa mollemente abbracciare il dissenso per restituirlo, maciullato, in consenso. Una Democrazia Cristiana che viene da lontano e che va lontano: quanto da lontano viene e quanto lontano ancora andrà il cattolicesimo italiano, quel cattolicesimo consustanziato al modo di essere degli italiani. E continua a dire «il mio partito» anche nel momento in cui meno lo riconosce, e cioè nel momento in cui dal partito – più che dalle Brigate rosse – si sente condannato a morte: «Muoio, se così deciderà il mio partito...». Al di là di Zaccagnini, di Andreotti, di Piccoli, resta questo suo partito – «fondamento insostituibile» del governo – che non tarderà a ravvedersi, a ritrovare la ragion d'essere e di durare, e in cui *il caso Moro* diventerà «un punto irriducibile di contestazione e di alternativa».

Certo, ci sono nelle lettere che conosciamo – e ancora di più ce ne saranno in quelle che non conosciamo – delle incoerenze, delle contraddizioni (e anche sviste ed errori); ma è del tutto normale che ci siano, se appena tentiamo di immaginare la condizione in cui è di colpo precipitato – dal vertice del potere alla più assoluta impotenza: come ne *La vida es sueño* di Calderón – e tutto quello che nella «prigione del popolo» subiva dai nemici vicini e dagli «amici» lontani. Ma la sua più vera coerenza bisogna intravederla nel non aver risposto al processo, nell'averlo respinto: per sé e per la Democrazia Cristiana – così come nel Parlamento della Repubblica l'aveva qualche mese prima respinto per l'onorevole Gui in quanto democristiano in cui l'intera Democrazia Cristiana si riconosceva e intorno al quale faceva quadrato. E questa era per lui – coerentemente, e non per alterazione psichica e mentale – la colpa della Democrazia Cristiana, la colpa che non poteva né politicamente giustificare né umanamente perdonare: il non aver fatto quadrato intorno alla sua vita, il non essersi riconosciuta in lui prigioniero e imputato delle Brigate rosse. E nemmeno di tutta la Democrazia Cristiana, questa colpa; né della Democrazia Cristiana nella sua essenza, nella sua natura e nel suo destino: ma di quegli uomini del partito, di quegli uomini del potere, che si erano arrogato il diritto di decidere.

E può darsi vengano fuori delle «risultanze»: ma sarà troppo tardi perché non si pensi a sapienti montaggi di nastri di registrazione o di scritti. Moro è stato fedele alla *sua* Democrazia Cristiana: e vale a dire che mentre noi, qui, tentiamo di sciogliere quella che Pasolini chiamò «una enigmatica correlazione», lui, per sé, del tutto non la sciolse. La sciolse di fronte a Dio, denudato di potere e riconoscendo la diabolicità del potere; non la sciolse di fronte ai cittadini della Repubblica italiana.

La mattina del 9 maggio il professor Franco
Tritto, amico della famiglia Moro, riceve una
telefonata (e non era la prima) da parte delle
Brigate rosse. Registrata dalla polizia, la telefonata è stata due mesi dopo diffusa dalla radiotelevisione – con l'inconsulta speranza
che qualcuno riconoscesse la voce: e si può
immaginare quanti mitomani l'avranno riconosciuta e quanti malvagi avranno tentato di
inguaiare qualche loro nemico o amico – e
trascritta dai giornali.

BRIGATISTA   Pronto? È il professor Franco Tritto?
TRITTO   Chi parla?
B.   Il dottor Nicolai.
T.   Chi Nicolai?
B.   È lei il professor Franco Tritto?
T.   Sì, sono io.
B.   Ecco, mi sembrava di riconoscere la voce...
Senta, indipendentemente dal fatto che lei abbia
il telefono sotto controllo, dovrebbe portare
un'ultima ambasciata alla famiglia.
T.   Sì, ma io voglio sapere chi parla.
B.   Brigate rosse. Ha capito?
T.   Sì.
B.   Ecco, non posso stare molto al telefono.
Quindi dovrebbe dire questa cosa alla famiglia,

dovrebbe andare personalmente, anche se il telefono ce l'ha sotto controllo non fa niente, dovrebbe andare personalmente e dire questo: adempiamo alle ultime volontà del presidente comunicando alla famiglia dove potrà trovare il corpo dell'onorevole Aldo Moro.

T. Ma che cosa dovrei fare?

B. Mi sente?

T. No; se può ripetere, per cortesia...

B. No, non posso ripetere, guardi... Allora lei deve comunicare alla famiglia che troveranno il corpo dell'onorevole Aldo Moro in via Caetani, che è la seconda traversa a destra di via delle Botteghe Oscure. Va bene?

T. Sì.

B. Lì c'è una Renault 4 rossa. I primi numeri di targa sono N 5.

T. N 5? Devo telefonare io? (*Ed è preso dal pianto*).

B. No, dovrebbe andare personalmente.

T. Non posso...

B. Non può? Dovrebbe, per forza...

T. Sì, certo, sì...

B. Mi dispiace. Cioè se lei telefona non... non verrebbe meno all'adempimento delle richieste che ci aveva fatto espressamente il presidente...

T. Parli con mio padre, la prego... (*Nel pianto, non riesce più a parlare*).

B. Va bene.

T. PADRE Pronto? Che mi dice?

B. Lei dovrebbe andare dalla famiglia dell'onorevole Moro oppure mandare suo figlio o comunque telefonare.

T. PADRE Sì.

131

B. Basta che lo facciano. Il messaggio ce l'ha già suo figlio. Va bene?

T. PADRE   Non posso andare io?

B. Lei, può andare anche lei.

T. PADRE   Perché mio figlio non sta bene.

B. Può andare anche lei, va benissimo, certamente: purché lo faccia con urgenza; perché le volontà, l'ultima volontà dell'onorevole è questa: cioè di comunicare alla famiglia, perché la famiglia doveva riavere il suo corpo... Va bene? Arrivederci.

Si è voluto riportare integralmente questo dialogo perché dà luogo a delle non inutili riflessioni. La prima riguarda la durata: tra lo smarrimento di Tritto, il suo pianto, il passaggio del telefono al padre, le esitazioni e le ripetizioni del brigatista, non meno di tre minuti. Certo involontariamente, nella confusione e commozione in cui lo gettava la notizia, Tritto si è comportato come chi vuol prendere tempo e darne alla polizia. Poiché il brigatista telefonava dalla stazione Termini, dove c'è un posto di polizia e nelle cui vicinanze è da presumere si trovino sempre delle autopattuglie collegate per radio alla questura, prenderlo sul finire della telefonata non sarebbe stato impossibile. Questa stessa considerazione va ribaltata sul brigatista: sa che il telefono di casa Tritto è sotto controllo, sa che l'attardarsi nella telefonata può essergli fatale; eppure è paziente, meticoloso, riguardoso persino. Ripete, si lascia andare a un «mi dispiace»; e insomma diluisce in più di tre minuti una comunicazione che avrebbe potuto dare in trenta secondi. Si può spiegare questo suo comportamento con la sicurezza – che gli viene da una ormai lunga sperimentazione – di un muoversi della polizia mai a misura di minuti (e infatti: «la prima pantera biancoblù della polizia arriva ululando in via Caetani alle 13,20»); ma non si poteva sottovalutare il rischio che questa volta, per l'enormità della notizia e dopo quasi due mesi di affinamento alla caccia, scattasse un'operazione di eccezionale celerità. Che cosa dunque trattiene il brigatista a quella telefonata, se non l'*adempimento* di un dovere che nasce dalla militanza ma sconfina ormai nell'umana pietà? La voce è fredda; ma le parole, le pause, le esitazioni tradiscono la pietà. E il rispetto. Per quattro volte chiama Moro «l'onorevole» e per due volte «il presidente». Quel linguaggio tra goliardico e da sezione rionale del Partito Comunista con cui nei comunicati le Brigate parlavano di Moro, è scomparso. «L'onorevole», «il presidente». Nel loro manifesto o latente antiparlamentarismo – non del tutto gratuito, non del tutto ingiustificato – mai credo gli italiani avevano pensato che il titolo di «onorevole» venisse da «onore» come nel momento in cui l'hanno sentito dalla voce del brigatista accompagnarsi al nome di Moro.

Forse ancora oggi il giovane brigatista crede

di credere si possa vivere di odio e contro la pietà: ma quel giorno, in quell'*adempimento*, la pietà è penetrata in lui come il tradimento in una fortezza. E spero che lo devasti.

———

Chi, non disponendo che dei dati divulgati dai mezzi d'informazione, vuole fare un'analisi dell'*affaire* Moro, non solo deve scernere il poco grano dal tanto loglio, ma deve far *tabula rasa* di quella specie di pregiudizio autodenigratorio (di solito, cioè, impiegato in senso autodenigratorio) che non riconosce come italiano tutto ciò che è preciso, puntuale, efficiente. Precisione, puntualità ed efficienza sono dalla generalità degli italiani considerate qualità a loro estranee o, a voler salvare qualcosa, allogene. Di un istituto che non funziona, di un ospedale in cui si è maltrattati o in cui non c'è posto, di un treno che ritarda, di un aereo che non parte, di una lettera che non arriva, di una festa che non riesce, il suggello è sempre l'esclamazione: «Cose nostre!». Eppure, c'è almeno una cosa nostra che funziona: ed è appunto quella che ormai antonomasticamente è «cosa nostra». E d'accordo che non c'è da menarne vanto e che per questa «cosa nostra» che funziona si può anche elevare a grido di disperazione l'esclamazione «cose nostre!» su quelle che non funzionano; ma tant'è che funziona e che dunque non per natura o maledizione siamo destinati all'imprecisione, all'impuntualità, all'inefficienza.

Le Brigate rosse funzionano perfettamente: ma (e il *ma* ci vuole) sono italiane. Sono una cosa nostra, quali che siano gli addentellati che possono avere con sette rivoluzionarie o servizi segreti di altri paesi. E non che si voglia qui avanzare il sospetto di un rapporto, se non fortuito e da individuo a individuo, con l'altra «cosa nostra» di più antica e provata efficienza: ma analogie tra le due cose ce ne sono. Le Brigate rosse avranno studiato ogni possibile manuale di guerriglia, ma nella loro organizzazione e nelle loro azioni c'è qualcosa che appartiene al manuale non scritto della mafia. Qualcosa di casalingo, pur nella precisione ed efficienza. Qualcosa che è riconoscibile più come trasposizione di regola mafiosa che come esecuzione di regola rivoluzionaria. Per esempio: l'azzoppamento – che è trasposizione dello sgarrettamento del bestiame praticato dalla mafia rurale. Per esempio: il sistema per incutere omertà e sollecitare protezione o complicità; sistema in cui ha minima parte la corruzione, una certa parte la minaccia diretta, ma è quasi sempre affidato al far sapere che non c'è delazione o collaborazione di cui loro non siano informati. Il sistema, insomma, di ingenerare sfiducia nei pubblici poteri e di rendere l'invisibile presenza del mafioso (o del brigatista) più pressante e temibile di quella del visibile carabiniere. Per esempio: la micidiale attenzione dedicata al personale di vigilanza delle carceri e che tende a stabilire, dentro le carceri, il privilegio del detenuto rivoluzionario così come vi si è da tempo stabilito il privilegio del detenuto mafioso (e non si creda che il mafioso se ne sia avvalso soltanto nel senso della comodità: molto prima che dei politici, la concezione del carcere come luogo di proselitismo, di aggregazione, di scuola, è stata dei mafiosi). E al di là di queste analogie, fino a un certo punto oggettive, nella coscienza popolare se ne è affermata un'altra: che come la mafia si fonda ed è parte di una certa gestione del potere, di un modo di gestire il potere, così le Brigate rosse. Da ciò quella che può apparire indifferenza: ed è invece la distaccata attenzione dello spettatore a una *pièce* che già conosce, che rivede in replica, che segue senza la tensione del *come va a finire* ed è soltanto intento a cogliere la diversità di qualche dettaglio nelle scene e nell'umore degli attori. Ed è facile sentir dire, e specialmente in Sicilia, che questa delle Brigate rosse *è tutta una storia come quella di Giuliano*: e ci si riferisce a tutte quelle acquiescenze e complicità dei pubblici poteri che i siciliani conoscevano ancor prima che diventassero risultanze (queste sì, risultanze) nel famoso processo di Viterbo. Atteggiamento che si può anche disapprovare, non poggiando su dati di fatto; ma che trova giustificazione in quel distico di Trilussa che dice la gente non fidarsi più della campana poiché conosce quello che la suona.

Personalmente, debbo e voglio essere più cauto. E tenermi a questi due punti: primo, che l'efficienza delle Brigate rosse è italiana, tipicamente analoga ad altra più conosciuta e diffusa efficienza; secondo, che l'azione delle Brigate rosse non è avulsa dal contesto politico italiano e che in esso giuoca in un senso ancora imprecisato, ancora ambiguo: ma, è da presumere, non imprecisato e non ambiguo per chi le muove. Sarebbe pazzesco da parte nostra collocare le Brigate rosse in una sfera di autonoma e autarchica purezza rivoluzionaria che si illuda di muovere le masse a far saltare le strutture politiche che le contengono; e sarebbe ancor più pazzesco che loro vi si collocassero. La loro ragion d'essere, la loro funzione, il loro « servizio » stanno esclusivamente nello spostare dei rapporti di forza: e delle forze che già ci sono. E di spostarli non di molto, bisogna aggiungere. Di spostarli nel senso di quel « cambiar tutto per non cambiar nulla » che il principe di Lampedusa assume come costante della storia siciliana e che si può oggi assumere come costante della storia italiana. Operazione di puro potere, dunque; che si può soltanto svolgere in quell'area interpartitica in cui, al riparo dai venti ideologici, il potere ormai vive. Non si vuole con ciò escludere che l'esistenza delle Brigate rosse sia appunto « pazzesca »: ma quando dalla pazzia comincia ad affiorare un metodo, è bene diffidarne: come Polonio di quella di Amleto (ma non ne diffidò abbastanza: e così non sia di noi). E il metodo è proprio dall'*affaire* Moro che comincia ad affiorare.

Che quella delle Brigate rosse sia una follia non priva di metodo, tutti lo dicevano e lo dicono. Ma è dalla vicenda di Moro, e attraverso le sue lettere, che si comincia a intravederne il disegno. Come Polonio, Moro, prigioniero e condannato a morte, ha cercato e poi seguito il filo del metodo in quello che dapprima gli sarà parso un labirinto di follia. E già nella prima lettera a Zaccagnini si ha l'impressione che ne abbia scoperto il capo, quando dice: il Partito Comunista «non può dimenticare che il mio drammatico prelevamento è avvenuto mentre si andava alla Camera per la consacrazione del Governo che m'ero tanto adoperato a costruire». E nella seconda: «Il Governo è in piedi e questa è la riconoscenza che mi viene tributata ... Ricorda in questo momento – deve essere un motivo pungente di riflessione per te – la tua straordinaria insistenza e quella degli amici che avevi a tal fine incaricato – la tua insistenza per avermi Presidente del Consiglio nazionale (*del partito*), per avermi partecipe e corresponsabile nella fase nuova che si apriva e che si profilava difficilissima». Ed è da notare come, al tempo stesso che si considera così atrocemente ripagato dal governo che si era tanto adoperato a costruire, da quella operazione, da quella «fase nuova», tenda a prendere distanza: non artefice, ma «partecipe»; non responsabile, ma «corresponsabile».

Il punto di consistenza del dramma, la ragione per cui a Moro si deve in riconoscimento (in «riconoscenza») la morte sta appunto in questo: che è stato l'artefice del ritorno, dopo trent'anni, del Partito Comunista nella maggioranza di governo. E le Brigate rosse non solo gliene fanno esplicita imputazione nei loro comunicati, ma ne danno con funebre ardimento la solenne e simbolica rappresentazione facendo ritrovare il suo corpo tra via delle Botteghe Oscure, dove ha sede il Partito Comunista Italiano, e piazza del Gesù, dove ha sede la Democrazia Cristiana (la forza dei nomi: le botteghe oscure, il Gesù dei gesuiti; e non so se la via Caetani, dove il corpo di Moro è stato portato, ha nome dalla famiglia, cui appartenne Bonifacio VIII, o dall'arabista: e va bene nell'uno o nell'altro caso).

Ma se lo scopo delle Brigate rosse – dichiarato e ribadito – è quello di interrompere il processo di attrazione, il movimento di congiunzione che si svolge tra Partito Comunista e Democrazia Cristiana, come mai non si accorgono del sortire ad effetto opposto delle loro azioni – e cioè che quel processo riceve dalle loro azioni parvenza di necessità e accelerazione? È per loro e contro di loro, intanto, che il Partito

Comunista può procedere all'invenzione dello Stato (e dico invenzione nel senso per cui si dice *invenzione della Croce*: e anche qui, la forza delle parole; e di questa – invenzione – che rimanda a sant'Elena, madre di Costantino). E si può osservare che una tale invenzione, se ha funzionato a non far riscattare Moro e ad incutere qualche preoccupazione alla sinistra più a sinistra e qualche disagio agli intellettuali più «liberali» e più isolati, non ha funzionato per nulla a scalfire la forza delle Brigate rosse o a impedire qualche loro azione. Ma non si sa mai: potrebbe anche, al momento opportuno, funzionare contro di loro. E poi: già al primo giorno del «prelevamento», la sera del 16 marzo, si è avuto anche visibilmente l'effetto – contrario alle dichiarate intenzioni delle Brigate rosse – che il «prelevamento» produceva e che l'esecuzione della condanna avrebbe moltiplicato: tante bandiere rosse a stringere di condoglianza e di protezione quelle bianche della Democrazia Cristiana: nelle piazze delle città italiane.

Si può dunque dedurre, da questo procedere che appare scriteriato, che l'essenza e il destino delle Brigate rosse stiano davvero nella sfera – a dirla banalmente – del «pazzesco» o – meno banalmente, più sottilmente – nella sfera di un estetismo in cui il morire per la rivoluzione è diventato un morire con la rivoluzione?

Esattamente a un mese da quella che le Brigate rosse chiamano «conclusione di una battaglia» (e anche chi non ama le battaglie, respirerà sanamente a rileggersi la descrizione di una battaglia vera: poiché ci si sente come soffocati a sentir chiamare battaglia l'uccisione, con pistola silenziata, di un uomo inerme dentro un garage o uno scantinato), alla redazione di un settimanale non molto diffuso arrivano, anonimamente, le fotocopie di quattro lettere di Moro. Il settimanale («OP: osservatore politico») le presenta, nel numero del 13 giugno, come inedite: ma non lo era quella diretta a Zaccagnini, già pubblicata il 30 aprile da alcuni giornali. Su ogni fotocopia è stampigliata, da parte della questura di Roma, l'assicurazione di conformità all'originale. Chi, dentro la questura di Roma, ha voluto che quelle lettere non restassero ignote?

Ma anche se tra quelle non conosciute una ce n'è di straordinario interesse, pochissimi giornali la riproducono o ne danno notizia. Perché ormai si tende a rimuovere l'*affaire*, a dimenticarlo, o in ragione – appunto – dell'interesse che la lettera non può non suscitare?

La lettera è diretta alla moglie e si può presumere l'abbia scritta tra il 27 e il 30 aprile.

Mia carissima Noretta,

anche se il contenuto della tua lettera al «Giorno» non recasse motivi di speranza (né io pensavo che li avrebbe recati) essa mi ha fatto un bene immenso, dandomi conferma nel mio dolore di un amore che resta fermo in tutti voi e mi accompagna e mi accompagnerà per il mio Calvario. A tutti dunque il ringraziamento più vivo, il bacio più sentito, l'amore più grande.

Mi dispiace, mia carissima, di essermi trovato a darti questa aggiunta d'impegno e di sofferenza ma credo che anche tu, benché sfiduciata, non mi avresti perdonato di non averti chiesto una cosa che è forse un inutile atto di amore, ma è un atto di amore.

Ed ora, pure in questi limiti, dovrei darti qualche indicazione per quanto riguarda il tuo tenero compito. È bene avere l'assistenza discreta di Rana e Guerzoni. Mi pare che siano rimasti taciti i gruppi parlamentari, ed in essi i migliori amici forse intimiditi dal timore di rompere questa unanimità fittizia, come tante volte è accaduto. Quello che è stupefacente è che in pochi minuti il Governo abbia creduto di valutare il significato e le implicazioni di un fatto di tanto rilievo ed abbia elaborato in gran fretta e con superficialità una linea dura che non ha più scalfito: si trattava in fondo di uno scambio di prigionieri come si pratica in tutte le guerre (e questa in fondo lo è), con la esclusione dei prigionieri liberati dal territorio nazionale. Applicare le norme del diritto comune non ha senso. E poi questo rigore proprio in un paese scombinato come l'Italia. La faccia è salva, ma domani gli onesti piangeranno per il crimine compiuto e sopratutto i democristiani. Ora mi pare manchi specie la voce dei miei amici. Converrebbe chiamare Cervoni, Rosato, Dell'Andro, e gli altri che Rana conosce, e incitarli ad una dissociazione, ad una rottura dell'unità. È l'unica cosa che i nostri capi temono. Del resto non si curano di niente. La dissociazione dovrebbe essere pacata e ferma. Così essi non si rendono conto di quanti guai verranno dopo e che questo è il meglio, il minor male almeno. Tutto questo andrebbe fatto presto, perché i tempi stringono. Degli incontri che riuscirai ad avere, se riuscirai, sarà (bene) dare notizia con qualche dichiarazione. Occorre del pubblico oltre che del privato. In questo fatti guidare da Guerzoni.

Nel risvolto del «Giorno» ho visto con dolore ripreso dal solito Zizola un riferimento dell'«Osservatore romano» (Levi). In sostanza: no al ricatto. Con ciò la S. Sede espressa da questo signor Levi, e modificando precedenti posizioni, smentisce tutta la sua tradizione umanitaria e condanna oggi me, domani saranno i bambini a cadere vittime per non consentire il ricatto. È una cosa orribile, indegna della S. Sede. L'espulsione dallo Stato è praticata in tanti casi, anche nell'Unione Sovietica, non si vede perché qui dovrebbe essere sostituita dalla strage di Stato. Non so se Poletti può rettificare questa enormità in contraddizione con altri modi di comportarsi della S. Sede. Con questa tesi si avalla il peggior rigore comunista ed a servizio dell'unicità del comunismo. È incredibile a quale punto sia giunta la confusione

144

delle lingue. Naturalmente non posso non sottolineare la cattiveria di tutti i democristiani che mi
hanno voluto nolente ad una carica che, se necessaria al Partito, doveva essermi salvata accettando
anche lo scambio dei prigionieri. Sono convinto
che sarebbe stata la cosa più saggia. Resta, pure in
questo momento supremo, la mia profonda amarezza personale. Non si è trovato nessuno che si
dissociasse? Bisognerebbe dire a Giovanni che
significa attività politica. Nessuno si è pentito di
avermi spinto a questo passo che io chiaramente
non volevo? E Zaccagnini? Come può rimanere
tranquillo al suo posto? E Cossiga che non ha saputo immaginare nessuna difesa? Il mio sangue
ricadrà su di loro. Ma non è di questo che voglio
parlare; ma di voi che amo ed amerò sempre, della gratitudine che vi debbo, della gioia indicibile
che mi avete dato nella vita, del piccolo che ama-
vo guardare e cercherò di guardare fino al-
l'ultimo. Avessi almeno le vostre mani, le vostre
foto, i vostri baci. I democristiani (e Levi dell'«Osservatore») mi tolgono anche questo. Che male
può venire da tutto questo male?
Ti abbraccio, ti stringo carissima Noretta e tu fai
lo stesso con tutti e con il medesimo animo. Davvero Anna si è fatta vedere? Che Iddio la benedi-
ca. Vi abbraccio

Aldo

La «strage di Stato». È possibile Moro non
ricordi, nello scriverla, quel che questa
espressione contiene di preciso – e cioè il riferimento al fatto, ai fatti, per cui è stata co-
niata e rivolta come accusa (accusa divenuta

ormai attendibile anche al vaglio dei più increduli) a certi organismi governativi, al governo, alla Democrazia Cristiana e a lui stesso? Assolutamente impossibile: e anche perché uno dei capi dell'accusa contro di lui formulata dalle Brigate rosse vi fa esplicito richiamo (comunicato numero uno: «Quando la sporca trama verrà completamente allo scoperto, come un vero "padrino" che si rispetti, Moro affosserà il tutto e ricompenserà con una valanga di "omissis" i suoi autori»); e dunque nella «prigione del popolo» continuamente avrà sentito parlare della «strage di Stato» e continuamente se ne sarà dichiarato estraneo (o «meno implicato di tutti»: e solo per gli «omissis»). Non distrattamente, dunque, scrive quell'espressione: ma facendola propria, adattandola al suo caso, trasmettendola come giudizio. E poi: «Con questa tesi si avalla il peggior rigore comunista ed a servizio dell'unicità del comunismo. È incredibile a quale punto sia giunta la confusione delle lingue».

«Ho già detto che si tratta di un romanzo poliziesco ... A distanza di sette anni, mi è impossibile recuperare i dettagli dell'azione; ma eccone il piano generale, quale l'impoveriscono (quale lo purificano) le lacune della mia memoria. C'è un indecifrabile assassinio nelle pagine iniziali, una lenta discussione nelle intermedie, una soluzione nelle ultime. Poi, risolto ormai l'enigma, c'è un paragrafo vasto e retrospettivo che contiene questa frase: "Tutti credettero che l'incontro dei due giocatori di scacchi fosse stato casuale". Questa frase lascia capire che la soluzione è sbagliata. Il lettore, inquieto, rivede i capitoli sospetti e scopre *un'altra* soluzione, la vera» (J.L. Borges, *Ficciones*).

Racalmuto, 24 agosto 1978

CRONOLOGIA DELL'«AFFAIRE»

Marzo 1978

16 Aldo Moro, presidente del Consiglio Nazionale della Democrazia Cristiana, viene «prelevato» – uccisi i cinque uomini che lo scortavano – da una banda che si presume delle Brigate rosse.

Un'ora dopo, le confederazioni sindacali proclamano lo sciopero generale.

Prima di sera, il governo presieduto dall'onorevole Andreotti su cui fino al giorno prima si manifestavano perplessità e riserve da parte delle sinistre e di alcuni gruppi della Democrazia Cristiana, viene approvato, da una maggioranza che comprende anche i comunisti, alla Camera dei deputati e al Senato.

In via Licinio Calvo, a un centinaio di metri da via Fani dove il «prelevamento» è avvenuto, la polizia trova una delle automobili di cui si sono serviti i terroristi.

17 La polizia arresta un giovane impiegato come gravemente indiziato di partecipazione o complicità al sequestro dell'onorevole Moro; ma il magistrato incaricato dell'inchiesta lo rilascia due giorni dopo in quanto *estraneo al fatto.* (È da notare come grossolano errore di grammatica poliziesca che una persona, sospettata di un reato quale il sequestro di persona, venga subito arrestata invece che accortamente seguita, spiata).

In via Licinio Calvo la polizia trova un'altra automobile di cui i terroristi si sono serviti: c'era da prima o vi è stata portata dopo? Trattandosi di una zona che era stata minutamente setacciata e restava vigilatissima, il rinvenimento dice inefficienza ed ha sapore di beffa.

18 Arriva il primo comunicato delle Brigate rosse: assumono la responsabilità del sequestro di Moro e dell'uccisione della scorta; dichiarano di voler processare (*Tribunale del Popolo*) il presidente della Democrazia Cristiana. Al comunicato è unita una fotografia di Moro prigioniero nel «carcere del popolo».

19 In via Licinio Calvo, la polizia trova la terza automobile di cui i terroristi si sono serviti per il rapimento. «Sicuramente ieri non c'era» dice la polizia. Ma il fatto che vi sia stata portata dopo, eludendo la vigilanza, i pattugliamenti, è altrettanto grave che il non averla notata per due giorni di seguito. Non è, del resto, il solo infortunio in cui la polizia incorre: dei ricercati di cui diffonde per televisione e sui giornali l'immagine, due sono già da tempo in carcere e uno si trova, non nascosto, a Parigi. Anche Brunilde Pertramer, ricercata come brigatista, risulterà regolarmente registrata negli alberghi in cui ha alloggiato.

20 Al processo contro Curcio e altri, che si svolge tempestosamente all'Assise di Torino, i brigatisti in gabbia gridano: «Moro è nelle nostre mani!».

21 Il Consiglio dei ministri approva una legge che accresce i poteri della polizia e riduce la libertà dei cittadini.

I giornali dibattono sull'opportunità dell'autocensura: e con propensione a praticarla. Uomini rappresentativi vengono dai giornali invitati a pronunciarsi pro o contro il principio dell'autocensura. Vito Ciancimino, ex sindaco di Palermo, interrogato dal «Giornale di Sicilia», risponde: «In linea di principio, informare l'opinione pubblica è un dovere. Ma in particolari momenti, come quello che stiamo vivendo, forse sarebbe meglio non pubblicare i messaggi dei brigatisti, anche per favorire le indagini. Quando le notizie possono nuocere all'azione degli inquirenti e quindi alla cattura degli assassini, si deve tacere anche se può costare. Ripeto però che, in linea di principio, la libertà di stampa deve essere assicurata».

24 A Torino, attentato delle Brigate rosse contro Giovanni Picco, democristiano, ex sindaco della città.

25 Comunicato numero due delle Brigate

rosse: vi sono elencati i capi d'imputazione a Moro; ma genericamente.

29 Arrigo Levi, direttore del quotidiano torinese «La Stampa», lancia la proposta che Leone si dimetta da presidente della Repubblica e che il Parlamento elegga al suo posto Moro. La proposta suscita diffuse perplessità e diffidenze.

La sera, arrivano una lettera di Moro al ministro degli Interni Francesco Cossiga e il comunicato numero tre delle Brigate rosse. Nel comunicato si afferma che l'interrogatorio «prosegue con la completa collaborazione del prigioniero».

31 «L'Osservatore romano» offre la disponibilità della Santa Sede a operare per la soluzione del «dolorosissimo caso».

Aprile

1° Pare che Nicola Rana, segretario di Moro, abbia ricevuto una lettera del prigioniero. L'indomani, si dice ne abbia avuta una anche la famiglia.

3 La polizia effettua perquisizioni e arresti nell'ambito dell'ultra sinistra. Ma entro le quarantotto ore, il magistrato rilascia quasi tutti gli arrestati: la polizia aveva operato sulla base di elenchi compilati nel 1968. Molti dei ribelli di allora erano ormai nei partiti del cosidetto arco costituzionale, e specialmente nel Partito Comunista.

4 Arrivano una lettera di Moro a Zaccagnini, il comunicato numero quattro delle Brigate rosse e l'opuscolo, datato febbraio 1978, della *Risoluzione della Direzione Strategica.* Nel comunicato si dice che «la manovra messa in atto dalla stampa di regime», di attribuire a dettatura delle Brigate quanto Moro ha scritto a Cossiga, «è stata subdola quanto maldestra» e che lo scritto esprime un punto di vista che le Brigate non condividono.

6 «Il giorno» pubblica una lettera di Eleonora Moro al direttore, scritta nella speranza che i brigatisti la facciano leggere al marito.

7 A Genova, attentato delle Brigate rosse contro Felice Schiavetti, presidente dell'Associazione Industriali: il solito azzoppamento.

10 I giornali diffondono la notizia, del tutto infondata, che le Brigate chiedono, a riscatto di Moro, le dimissioni di Leone e sessanta miliardi di lire.
Nel pomeriggio, le Brigate rosse diffondono il comunicato numero cinque e uno scritto autografo di Moro contro Taviani.

11 A Torino, tre brigatisti sparano contro la guardia carceraria Lorenzo Cotugno. Prima di morire, Cotugno ferisce il brigatista Cristoforo Piancone, che viene dai compagni lasciato sulla soglia di un ospedale. Piancone si dichiara prigioniero politico e non risponde alle domande della polizia e del giudice; ma qualche giorno dopo, sui quotidiani «Il tempo» e «Il giornale», apparirà l'intervista che un giornalista è riuscito ad avere da lui.

12 Si dice che Cossiga, Rana e la famiglia abbiano avuto altre lettere di Moro.

15 Comunicato numero sei delle Brigate rosse: «Aldo Moro è colpevole e viene pertanto condannato a morte».

I giornali pubblicano la notizia di «undici attentati a Venezia in diciassette ore»: il giorno precedente; e, cautamente, che un elenco di duecento possibili brigatisti «sarebbe stato consegnato al ministero degli Interni da un alto esponente del Partito Comunista».

17 Appelli alle Brigate rosse dell'«Osservatore romano» e di Amnesty International.

18 Il «falso» comunicato numero sette delle Brigate rosse.

La polizia scopre in via Gradoli un «covo» delle Brigate. Per caso, si dice dapprima; ma poi si apprende che la segnalazione l'aveva ricevuta da un pezzo: solo che era andata a Gradoli, in provincia di Viterbo, invece che nella via Gradoli, che si trova nella zona romana in cui Moro è stato rapito.

19 «Lotta continua», giornale dell'ultra sinistra, pubblica un appello per la salvezza di Moro firmato da vescovi, parlamentari, intellettuali cattolici e laici.

20 Le Brigate rosse, a Milano, uccidono il maresciallo delle guardie carcerarie Francesco De Cataldo.

154

Le Brigate diffondono il «vero» comunicato numero sette: Moro è vivo, sono disposti a restituirlo in cambio di «prigionieri comunisti». È un ultimatum. Scadenza: le ore quindici del giorno 22. Una fotografia di Moro, con in mano «La Repubblica» del giorno precedente, viene mandata a questo giornale.

21   Altra lettera di Moro a Zaccagnini: ma non tutti i giornali la pubblicano.

22   All'Università di Padova, attentato contro il professor Ezio Riondato: quattro colpi alle gambe, da parte del Nucleo Combattenti per il Comunismo.
Paolo VI scrive agli «uomini delle Brigate rosse».

24   Comunicato numero otto delle Brigate rosse: ci sono i tredici nomi dei «prigionieri comunisti» che vogliono liberi in cambio di Moro.
Il governo di Panama si dice disposto a ricevere i terroristi, nel caso il governo italiano si decidesse ad accettare lo scambio.
Una nuova lettera di Moro a Zaccagnini perviene al giornale «Vita».

25   Kurt Waldheim, segretario generale dell'ONU, rivolge dalla televisione italiana, e parlando in italiano, un appello alle Brigate rosse. Suscita malumore negli ambienti politici italiani: ha attribuito ai terroristi una «causa», e quindi un ideale. Ma pare che

Waldheim volesse dire «propositi»: un piccolo errore di traduzione.

Dalla sede della Democrazia Cristiana, viene distribuita ai giornalisti la dichiarazione degli «amici di Moro»: «Non è l'uomo che conosciamo».

26 Dieci colpi di pistola contro il democristiano Girolamo Mechelli, ex presidente della Regione Lazio. Alle gambe.

«Il giorno» pubblica una lettera a Moro dei figli.

27 A Torino, colpi alle gambe a Sergio Palmieri, capufficio di «analisi del lavoro» a Mirafiori: e relativo comunicato delle Brigate. Craxi propone che lo Stato mostri di cedere al ricatto delle Brigate rosse con atti di clemenza verso i prigionieri politici.

28 Andreotti in televisione: «Quale sarebbe la reazione dei carabinieri, dei poliziotti, degli agenti di custodia se il governo, alle loro spalle e violando la legge, trattasse con chi ha fatto scempio della legge stessa? E cosa direbbero le vedove, gli orfani, le madri di coloro che sono caduti nell'adempimento del proprio dovere?». Evidentemente, nulla c'è da fare per Moro: come Cortés, toccando di madri, vedove e orfani, Andreotti ha bruciato i vascelli di una trattativa con le Brigate rosse che Craxi continua a dire possibile.

29 Si parla di altre lettere di Moro alla fami-

glia; e di una arrivata per posta in risposta a quella dei familiari pubblicata dal «Giorno».

La sera ne arriva una al giornale «Il messaggero», indirizzata alla Democrazia Cristiana. Sarà pubblicata l'indomani. Di quelle che conosciamo, è l'ultima diretta all'intero partito.

30 Si ha notizia che Moro ha inviato lettere a Leone, Andreotti, Ingrao, Fanfani, Misasi, Piccoli e Craxi. Ma soltanto quelle a Craxi e a Leone saranno pubblicate, rispettivamente il 3 e il 4 maggio.

Maggio

1° Appello della famiglia Moro ai dirigenti della Democrazia Cristiana: che il partito «assuma con coraggio le proprie responsabilità».

3 Andreotti ribadisce il no del governo a una trattativa con le Brigate rosse.

4 Due azzoppamenti: a Milano, Umberto degli Innocenti, della Sit-Siemens; a Genova, Alfredo Lamberti, dello stabilimento Italsider di Cornigliano.

5 Comunicato numero nove delle Brigate rosse: «Concludiamo la battaglia iniziata il 16 marzo eseguendo la sentenza a cui Aldo Moro è stato condannato». Si scatena l'interpretazione del gerundio.

6 A Novara, azzoppamento del medico delle carceri Giorgio Rossanigo: ma dai Proletari Armati per il Comunismo.

8 Altro medico – fiscale dell'INAM – azzoppato a Milano, Diego Fava: anche lui dai Proletari Armati per il Comunismo.

9 Nel bagagliaio di una Renault 4 – rossa secondo il brigatista che ne ha dato comunicazione, amaranto secondo i giornali – viene trovato il corpo di Aldo Moro.
La famiglia diffonde questo comunicato: «La famiglia desidera che sia pienamente rispettata dalle autorità di stato e di partito la precisa volontà di Aldo Moro. Ciò vuol dire: nessuna manifestazione pubblica o cerimonia o discorso; nessun lutto nazionale, né funerali di stato o medaglia alla memoria. La famiglia si chiude nel silenzio e chiede silenzio. Sulla vita e sulla morte di Aldo Moro giudicherà la storia».

10 A Torrita Tiberina, i funerali in forma privata. Moro viene seppellito in quel cimitero.

13 Rito funebre nella basilica di San Giovanni in Laterano. Presiede Paolo VI, celebra il cardinal Poletti (quello in cui Moro sperava, ma non molto, per una rettifica della «enormità»). Tutti gli uomini del potere sono presenti. Mancano la moglie e i figli di Aldo Moro. Il papa dice: «Tu, o Signore, non hai esaudito la nostra supplica».

Commissione Parlamentare d'inchiesta
su la strage di via Fani,
il sequestro e l'assassinio di Aldo Moro,
la strategia e gli obiettivi
perseguiti dai terroristi

RELAZIONE DI MINORANZA
PRESENTATA DAL DEPUTATO
LEONARDO SCIASCIA

Numerosa di quaranta membri più il presidente, nel succedersi di tre presidenti, l'ultimo dei quali – il senatore Valiante – nominato quando già le acquisizioni erano ingenti, e necessitato dunque a informarsene, la Commissione Parlamentare d'inchiesta sulla strage di via Fani, il sequestro e l'assassinio di Aldo Moro e la strategia e gli obiettivi perseguiti dai terroristi, si è mossa in questa prima parte dei suoi lavori, sopratutto devoluti al caso Moro, con inevitabili ritardi, lentezze e dispersioni. Il fatto che la presenza dei componenti si riducesse di media tra la metà e i due terzi, le è stato di minima agevolazione sulle audizioni, sempre troppo lunghe e in parte ripetitive. A ciò va aggiunta la latente e a volte esplicita conflittualità, tra i membri della Commissione, che riproduceva quella manifestatasi tra i partiti del cosidetto arco costituzionale – e specialmente tra il comunista e il democristiano da un lato, il socialista dall'altro – nei giorni del sequestro Moro ed oltre, fino al sequestro e al rilascio del magistrato D'Urso: e cioè sulla posizione detta «umanitaria» dei socialisti, che affermava la necessità di trattare coi terroristi, pur tenendo presenti i limiti del possibile cedimento, e quella detta « della fermezza », sostenuta da comunisti, democristiani e altri, di assoluta e inscalfibile intransigenza. Tali posizioni si ripetevano nella Commissione col perseguire da una parte la dimostrazione che un minimo cedimento, conseguente alle trattative con le Brigate rosse, avrebbe potuto salvare la vita di Aldo Moro (così come poi la chiusura del carcere dell'Asinara e l'intervento di parlamentari presso i brigatisti carcerati si ritenne – ma non da tutti, e non da noi – avesse salvata quella del magistrato D'Urso); e dall'altra che la disponibilità a trattare del Partito Socialista, nonché incrinare la cosidetta « solidarietà nazionale » fondata sulla fermezza, non solo non poteva portare alla salvezza di Moro, ma si configurava – nella ricerca di un contatto particolare e riservato con le Brigate rosse, negli incontri tra esponenti socialisti ed esponenti dell'Autonomia romana che si credeva potessero fare da tramite (e si è visto poi che potevano) – come un vero e proprio reato, visto che i magistrati inquirenti non ne erano stati informati. Questa conflittualità, che ad evidenza corre nei verbali della Commissione, anche se mai espressa nei termini netti in cui noi la riassumiamo, è stata nel lavoro della Commissione – a parer nostro – una grave remora, una incommensurabile perdita di tempo. Da ciò, per esempio, le inutili udienze dedicate al caso Rossellini-Radio « Città futura »: se Rossellini aveva o no dato notizia dell'avvenimento di via Fani almeno mezz'ora prima che si verificasse (e se si fosse riusciti a provarla, ne sarebbe venuta la conseguenza che Rossellini era «dentro», e dunque i suoi contatti coi socialisti diventavano automaticamente gravi: beninteso per i socialisti). Ma Rossellini non poteva aver dato quella notizia: poiché – se ne ha l'impressione – aveva ben studiato gli scopi e i comportamenti delle Brigate rosse, poteva avere, se mai, azzardato una ipotesi. Comunque, la domanda se Moro si poteva o no salvare attraverso trattative, finisce con l'apparire gratuita e irrilevante, dopo tante ore di audizioni e migliaia di pagine di verbali. Gratuita e irrilevante, diciamo, ai fini di una Commissione Parlamentare d'inchiesta; mentre la si può considerare non gratuita e non irrilevante in una inchiesta tra le Brigate rosse, dentro le Brigate rosse e da loro condotta: poiché a loro era possibile la scelta di rilasciare Moro invece che di assassinarlo; e dalla scelta di assassinarlo ha avuto principio, nel dissenso tra loro insorto, la crisi che va portandole alla disgregazione, all'annientamento. La domanda prima ed essenziale cui la Commissione ha il dovere di rispondere, a noi appare invece questa: *perché Moro non è stato salvato, nei cinquantacinque giorni della sua prigionia, da quelle forze che lo Stato prepone alla salvaguardia, alla sicurezza, all'incolumità dei singoli cittadini, della collettività, delle istituzioni?*

163

Ovviamente, né si poteva evitare, altro tempo si è perso nell'inseguire una risposta alla domanda posta dal punto *a*), articolo I, della legge che istituiva la Commissione («se vi siano state informazioni, comunque collegabili alla strage di via Fani, concernenti possibili azioni terroristiche nel periodo precedente il sequestro di Aldo Moro, e come tali informazioni siano state controllate ed eventualmente utilizzate»). Intorno a tale domanda si sono accagliate insondabili mitomanie, scarti della memoria, incontrollabili giri di tempo (e ne fa parte anche il caso Rossellini-Radio «Città futura»). Né meno inutile è stato il lavoro della Commissione per rispondere al punto *b*) della legge: «se Aldo Moro abbia ricevuto, nei mesi precedenti il rapimento, minacce o avvertimenti diretti a fargli abbandonare l'attività politica»; poiché è da credere che ogni uomo politico di preminente ruolo ne riceva, anonimamente e non, come consiglio o come minaccia; e specialmente ne avrà ricevuto – ne ha ricevuto – Aldo Moro, i cui intendimenti non sempre decifrabili potevano facilmente dar luogo a fraintendimenti. Ma anche l'avvertimento (o minaccia) che ebbe mentre presumibilmente si trovava in un paese «amico», e da parte di una personalità in quel paese autorevole, non crediamo sia possibile collegarlo alla sua eliminazione: e per il fatto stesso che c'è stato. Cose del genere – lo si sa persino proverbialmente

164

– si fanno senza dirle; il non dirle è anzi la condizione necessaria per farle. Era invece rigorosamente prevedibile – a rigore del loro cercare e colpire i gangli e le personalità dello «Stato delle multinazionali», del sistema democratico e capitalistico – che le Brigate rosse puntassero alla cattura e all'eliminazione di un uomo come Moro, al vertice della Democrazia Cristiana e sul punto – si credeva – di allargarle intorno il consenso e comunque di renderla più duttile, più prensile, più durevolmente sicura (e però nella misura in cui più duttili sì, ma meno prensili e meno sicure diventavano le forze d'opposizione). Ma che secondo i loro schemi, piuttosto rigidi ed elementari, le Brigate rosse facessero una diagnosi della situazione che portasse alla cattura e/o all'eliminazione di Aldo Moro, si era ben lontani, negli organi che ne avevano il dovere, dal prevederlo; e figuriamoci dal prevenirlo. Sicché alla domanda che pone il punto *c*) della legge («le eventuali carenze di adeguate misure di prevenzione e tutela della persona di Aldo Moro»), si può nettamente rispondere che non solo le carenze ci furono, ma che ai tentativi della Commissione per accertarle sono state opposte denegazioni così assolute da apparire incredibili. A renderle incredibili è la personalità del maresciallo Leonardi, capo della scorta di Moro, per come concordemente, da diversi punti di vista, ci è stata descritta. Giudicando la scorta di Moro dentro l'università, l'ex brigatista Savasta dice: «Io ho notato tre uomini, fra cui uno anziano ... Erano tre molto visibili, tra cui questo anziano, che era il più bravo di tutti perché si muoveva nella folla ... Sì, era il maresciallo Leonardi, che si muoveva meglio di tutti, perché la ressa era molto grossa per partecipare alle lezioni di Aldo Moro. Nonostante questo riusciva a tenere sotto controllo la situazione. Mi colpì questo aspetto specifico anche per capire che tipo di scorta c'era, cioè se era una scorta pro forma o una scorta reale ... L'atteggiamento del maresciallo Leonardi era quello di una scorta reale, molto preparata: era quel tipo di scorta che non eravamo abituati a vedere. C'è un modo che si capisce subito: prima il fatto che erano sempre pronti a prendere la pistola; secondo, poi, come si muovevano tra la gente. Cioè era un modo diverso. Se la scorta è pro forma, non si sta molto a guardare; quando è reale, si capisce subito, cioè come si guarda la gente, come si vedono gli spostamenti delle altre persone. Sembrava una scorta reale...». Nel loro lavoro di osservazione, i brigatisti erano dunque arrivati al giudizio che tutte le scorte fossero pro forma; e perciò la meraviglia di scoprire invece reale – anche se in un determinato luogo – quella di Aldo Moro. Ma il merito era tutto di quell'anziano «molto bravo», che «riusciva a tenere sotto controllo tutta la situazione».

Questo giudizio, di innegabile competenza, concorda con quello del generale Ferrara: «Leonardi era un sottufficiale eccellente sotto ogni riguardo: austero, serio, distintissimo, fisicamente prestante, costantemente sicuro di sé; era un ragazzo coraggioso e sempre pronto, tiratore scelto, cintura nera...». Questi giudizi ci portano a considerare veridiche tutte le testimonianze sulle preoccupazioni del maresciallo Leonardi in ordine alla sicurezza dell'onorevole Moro (e alla propria); e specialmente quella della moglie. Leonardi aveva chiesto altri uomini, al ministero dell'Interno: forse in più, forse in sostituzione di quelli che già aveva e che non gli pareva fossero «ben preparati per il servizio che dovevano svolgere». Questa richiesta, che la signora Leonardi colloca tra la fine del '77 e il principio del '78, non ha lasciato traccia né nei documenti né nella memoria di chi avrebbe dovuto riceverla. E pure non può non esserci stata: proprio in quel periodo le abitudini e i comportamenti di Moro e della sua scorta venivano – sappiamo – studiati dalle Brigate rosse; e ciò non sfuggiva all'attenzione di Leonardi. La sua preoccupazione cresceva a misura che, per certi segni, vedeva il pericolo avvicinarsi. Si era anche accorto che lo seguivano, ne aveva parlato alla moglie e ad altri aveva precisato che lo seguiva una 128 bianca. Negli ultimi tempi era così preoccupato, teso, dimagrito, si sentiva talmente insicuro da far dire alla moglie che «non era più lo stesso». E quasi tutti i pomeriggi, quand'era libero, andava, dice la moglie, «a conferire col generale Ferrara, sempre per motivi di servizio». Ma il generale Ferrara decisamente nega, avvalorando la sua negazione col preciso ricordo di un solo incontro con Leonardi: il 26 gennaio 1978, e per motivi non di servizio. Con chi dunque parlava Leonardi, a chi faceva i suoi rapporti? Che li facesse, la signora se ne dice «sicura al cento per cento». Ma il generale Ferrara, pur ammettendo che Leonardi «aveva contatti con tutta la scala gerarchica», afferma: «il maresciallo Leonardi non ha mai mandato rapporti a chicchessia ... abbiamo svolto un'inchiesta per controllare presso tutti i comandi gerarchici della capitale se Leonardi avesse fatto cenno anche verbale: non risultò niente ... nessuna richiesta, né di personale né di rinforzi di uomini e di mezzi, era mai stata inoltrata». Il che, ribadiamo, non è credibile: Leonardi può non aver parlato col generale Ferrara, ma con qualcuno dei «comandi gerarchici della capitale» ha parlato di certo. Che ne sia scomparsa ogni traccia e che lo si neghi è un fatto straordinariamente inquietante.

Uguale immagine di preoccupazione, di nervosismo, di paura dà del marito la vedova dell'appuntato Ricci. Non parlava molto del servizio, in casa: ma poiché faceva da autista, diceva dei guai che la 130 che gli avevano affidata dava («si rompeva continuamente») e sospirava l'arrivo della 130 blindata. Alla fine del '77, disse alla moglie che finalmente arrivava: il che vuol dire che era stata richiesta e promessa. Ma non arrivò. Da ciò, forse, verso il mese di febbraio, un più accentuato nervosismo («appariva nervoso e si comportava in maniera strana»): che corrispondendo al comportamento del maresciallo Leonardi, vuol dire che condividevano la stessa preoccupazione, scorgevano gli stessi segni. Ma così come per i rapporti di Leonardi, nessuno sa nulla della richiesta di una macchina blindata; è stato anzi detto alla Commissione che se fosse stata richiesta sarebbe stata data senza difficoltà. Ma com'è che, non richiesta, la si aspettava e, ad un certo punto, non la si aspettò più?

«Reale», dunque, dentro l'università, la scorta di Moro diventava «pro forma» fuori, nella deficienza e insicurezza dei mezzi: il che certamente non sfuggì alla osservazione delle Brigate rosse. Il dire, oggi, che una macchina blindata e meglio funzionante per Moro; altra coi freni a posto per la scorta che lo seguiva; armi di sicura efficienza e addestramento a prontamente usarle, non sarebbero stati elementi di dissuasione o di non riuscita al piano delle Brigate rosse, è altrettanto insensato che affermare lo sarebbero stati. In azioni come quella attuata per il sequestro di

Moro, basta che una piccola cosa funzioni o non funzioni per deciderne la riuscita o il fallimento. E comunque, quel che non funziona suppone delle responsabilità, che vanno accertate e individuate. Ma nella ricerca delle responsabilità – che sono sempre individuali anche se estensibili e concatenate – la Commissione si è sempre fermata un po' prima, al limite di scoprirle, di accertarle: per ragioni formali, per difficoltà interne ed esterne.

Il punto *d*) della legge che istituisce la Commissione d'inchiesta, richiede si faccia luce su «le eventuali disfunzioni od omissioni e le conseguenti responsabilità verificatesi nella direzione e nell'espletamento delle indagini, sia per la ricerca e la liberazione di Aldo Moro, sia successivamente all'assassinio dello stesso, e nel coordinamento di tutti gli organi e apparati che le hanno condotte»; ma il materiale raccolto dalla Commissione a tal proposito è così vasto che conviene estrarne i fatti essenziali o emblematici, conferendo importanza ad alcuni che sembrano non averne e rovesciando il significato e il valore di certi altri cui si è voluto invece dare importanza. Per esempio: sembrano importanti, e se ne parla come di uno «sforzo imponente» da riconoscere e da elogiare, le operazioni condotte dalle forze dell'ordine nel giro dei cinquantacinque giorni che vanno dal sequestro all'assassinio di Moro. Si tratta davvero di uno sforzo imponente, e ne trascriviamo il compendio: 72.460 posti di blocco, di cui 6.296 nella cinta urbana di Roma; 37.702 perquisizioni domiciliari, di cui 6.933 a Roma; 6.413.713 persone controllate, di cui 167.409 a Roma; 3.383.123 automezzi controllati, di cui 96.572 a Roma; 150 persone arrestate; 400 fermate. In queste operazioni erano impegnati quotidianamente 13.000 uomini, 4.300 nella città di Roma. Sforzo imponente, ma per nulla da elogiare. Prevalentemente condotte «a tappeto» (e però, come si vedrà, con inconsulte eccezioni), le operazioni condotte in quei giorni erano o inutili o sbagliate. Si ebbe allora l'impressione – e se ne trova ora conferma – che si volesse impressionare l'opinione pubblica con la quantità e la vistosità delle operazioni, noncuranti affatto della qualità. E si trattò propriamente di una scelta subito fatta, di un criterio (paradossalmente consistente nella mancanza di un criterio effettuale) subito assunto: e ci riferiamo a quell'ordine, diramato alle questure dalla direzione dell'Ucigos di attuare, subito dopo il sequestro di Moro, il «piano zero». Il «piano zero» esisteva soltanto per la provincia di Sassari; ma il dirigente dell'Ucigos, che era stato questore a Sassari, credeva esistesse per tutte le provincie italiane. Ne nacque un convulso telefonarsi di questori tra loro, prima che si arrivasse a capire che il piano non esisteva. Ma il punto non è quello dell'errore e del comico che ne derivò; il punto è come mai si pensò che l'attuazione di un «piano zero» in tutte le provincie italiane potesse avere un qualche effetto. Che senso aveva istituire posti di blocco, controllare mezzi e persone, la mattina del 16 marzo, a Trapani o ad Aosta? Nessuno: se non quello di offrire lo spettacolo dello «sforzo imponente». Si partì dunque – per volontà o per istinto – verso effetti spettacolari e forse confidando nel calcolo delle probabilità (che non funzionò). Ed è comprensibile che per conseguire tali effetti si sia trascurato l'impiego di forze meno imponenti ma più sagaci per dare un corso meno vistoso ma più producente alle indagini: a tal punto che la Commissione si è sentita rispondere dall'allora questore di Roma che mancava di uomini per un lavoro di pedinamento che non ne avrebbe richiesto più di una dozzina; mentre solo a Roma 4.300 agenti spettacolarmente ma vanamente annaspavano. Ma torneremo su questo punto. Aggiungiamo, intanto, che la nostra opinione sulla vacuità delle operazioni di polizia è condivisa e trova autorevole conferma in questa dichiarazione del dottor Pascalino, allora procuratore generale a Roma: «in quei giorni si fecero operazioni di parata, più che ricerche». Ed è incontrovertibile che chi volle, chi assentì, chi nulla fece per meglio indirizzare il corso delle cose, va considerato – nel grado di responsabilità che gli competeva – pienamente responsabile.

Curiosamente, a queste operazioni di parata, corrisponde un contraddittorio segno di preparazione e di efficienza, da parte della polizia, che non è stato giustamente valutato: e riguarda la segnalazione dei ricercati in quanto presunti brigatisti; segnalazione che, attraverso la diffusione di fotografie sulla stampa e per televisione, fu fatta appena qualche giorno dopo l'eccidio di via Fani. Si segnalarono ventidue individui: ma subito si scoprì che due di loro erano già in carcere, uno notoriamente residente in Francia, un altro regolarmente registrato nell'albergo in cui alloggiava. Questi errori – che crediamo trovino giustificazione nella endemica incomunicabilità, nel nostro paese, delle istituzioni tra loro – impedirono all'opinione pubblica di vedere quel che invece c'era di positivo nella segnalazione: e cioè che su diciotto individui la polizia non si era sbagliata. Giustamente un funzionario di polizia (il dottor Improta) ha rivendicato, davanti alla Commissione, la preparazione e la prontezza dimostrata dalla questura di Roma in questo fatto, che invece l'opinione pubblica valutò al contrario e arrivando quasi al dileggio. Lo Stato non era impreparato, se dopo tre giorni la questura di Roma era in grado di indicare – precorrendo acquisizioni più certe, provate e confessate – diciotto brigatisti, alcuni dei quali facenti parte del gruppo di via Fani, e se conosceva benissimo gli elementi più attivi dell'area extraparlamentare (e persino nelle loro differenziazioni ideologiche e strategiche, di prassi, di temperamento). Il concorde coro di funzionari e uomini politici, sull'impreparazione dello Stato a fronteggiare l'attacco terroristico, è dunque da accettare con beneficio d'inventario. Il fatto che le precedenti «risoluzioni» delle Brigate rosse e gli scritti dei loro teorici e fiancheggiatori non fossero stati convenientemente studiati, dalla polizia e dai servizi di sicurezza, non pone come conseguenza necessaria l'incertezza, la confusione, i disguidi, le omissioni, le vuote operazioni che si sono verificate durante i cinquantacinque giorni del sequestro Moro. Bastava una normale, ordinaria professionalità investigativa. Anche senza lo studio dei testi (che peraltro sarebbe stato più utile alla prevenzione che di fronte al fatto compiuto), si aveva il vantaggio di conoscere approssimativamente la natura e il fine di un'associazione per delinquere denominata Brigate rosse; si era già arrivati a individuare un congruo numero di affiliati; si aveva sufficiente informazione sul tessuto protettivo di cui l'associazione poteva godere. Se l'operazione di via Fani fosse stata fatta a solo fine di lucro e da un'associazione per delinquere mai manifestatasi, oscura, improvvisata, lo svantaggio sarebbe stato indubbiamente più forte. Ma appunto dei vantaggi non si è saputo fare alcun uso.

Ma andiamo per ordine, attenendoci strettamente ai fatti in cui disfunzioni e omissioni (e « conseguenti responsabilità » sempre) più vistosamente appaiono. Nel pomeriggio dello stesso giorno 16 in cui era avvenuto l'eccidio della scorta e il rapimento di Aldo Moro, la Fiat 132 in cui Moro era stato trasportato viene ritrovata in via Licinio Calvo: ciò vuol dire che nella zona stessa in cui era accaduto il fatto, poche ore dopo, goliardicamente i brigatisti potevano avventurarsi indenni a bordo di una segnalatissima automobile. La beffarda restituzione, segno di un sicuro muoversi dei brigatisti nel quartiere, avrebbe dovuto far nascere il sospetto che vi abitassero, e quindi incrementare ed acuire la vigilanza. Ma così non fu, e altre due macchine che erano servite per l'operazione venivano trovate, nella stessa via, il 17 e il 19. Rischio che sarebbe da considerare corso abbastanza scioccamente dai brigatisti: ma evidentemente sapevano quel che facevano e che senza danno ne sarebbero usciti. Si procedeva intanto – 17 marzo – al fermo di polizia giudiziaria per Franco Moreno, su cui sembrava gravassero indizi probanti di una partecipazione all'impresa: provvedimento non del tutto comprensibile anche nel caso ci si fosse trovati a indagare soltanto sull'eccidio, ma del tutto incomprensibile trattandosi anche di un sequestro di persona. Poiché il Moreno era in quel momento, a giudizio degli investigatori, il solo elemento *visibile* dell'associazione, il suo fermo non solo veniva a recidere un possibile tramite per raggiungere gli altri e il luogo in cui Aldo Moro era detenuto, ma poteva anche essere fatale per la vita del sequestrato. Ma forse anche in questo caso il criterio della parata prevalse su quello della professionalità, della ponderata investigazione. Ma gli indizi che sembravano (e, a rileggerne l'elenco, sembrano) gravi, si dissolsero non sappiamo come nell'esame del magistrato; e tre giorni dopo il Moreno veniva rilasciato.

Intanto il giorno 18 – il terzo dei cinquantacinque – la polizia, nelle sue operazioni di perquisizione a tappeto, arrivava all'appartamento di via Gradoli affittato a un sedicente ingegnere Borghi, più tardi identificato come Mario Moretti. Vi arrivò: ma si fermò davanti alla porta chiusa. E qui bisogna osservare che per quanto si voglia le operazioni fossero di parata, tant'è che si facevano; e in ordine all'istinto e al raziocinio professionale una porta chiusa, una porta cui nessuno rispondeva, doveva apparire tanto più interessante di una porta che al bussare si apriva. E tanto più che il dottore Infelisi, il magistrato che conduceva l'indagine, aveva ordinato che degli appartamenti chiusi o si sfondassero le porte o si attendesse l'arrivo degli inquilini. Ordine eseguito in innumerevoli casi, e con gran disagio di cittadini innocenti; ma proprio in quell'unico caso (unico per quanto sappiamo), che poteva sortire a un effetto di incalcolabile portata, non eseguito. Pare

176

che l'assicurazione dei vicini che l'appartamento fosse abitato da persone tranquille, sia
bastata al funzionario di polizia per rinunciare a visitarlo: mentre appunto tale assicurazione avrebbe dovuto insospettirlo. È pensa-
bile che le Brigate rosse non si comportasse-
ro tranquillamente, e anzi più tranquillamente di altri, abitando piccoli appartamenti
di popolosi quartieri?

Esattamente un mese dopo – il 18 aprile –
l'appartamento di via Gradoli di cui la polizia
aveva preso atto come abitato da persone
tranquille, fortuitamente si rivelava covo delle Brigate rosse. Ma il nome Gradoli era già
corso nelle indagini, e vanamente, grazie a
una seduta spiritica tenutasi nella campagna
di Bologna il 2 aprile. E non meravigli che
negli atti di una commissione parlamentare
d'inchiesta si parli, come in una commedia
dialettale, di una seduta spiritica: ma dodici
persone, come si suol dire, degne di fede, e
per di più appartenenti al ceto dotto della
dotta Bologna, sono state sentite una per una
dalla Commissione e tutte hanno testimonia-
to della seduta spiritica da loro tenuta e da
cui è venuto fuori il nome Gradoli. Non una
di loro si è dichiarata esperta o credente riguardo a fenomeni del genere; tutte hanno
parlato di un'atmosfera «ludica» che attorno
al «piattino» e agli altri elementi necessari al-
l'evocazione, si era stabilita in un pomeriggio
uggioso: di gioco, dunque, di passatempo. E

non solo tutti sembravano, nel riferire alla Commissione, credere alla semovenza del «piattino»; ma di fatto ci credettero, se l'indomani ne riferirono alla Digos di Bologna e, successivamente, al dottor Cavina, capo dell'ufficio stampa dell'onorevole Zaccagnini. Tra i farfugliamenti del «piattino», un nome era venuto fuori nettamente: Gradoli. Poiché c'è in provincia di Viterbo un paese di questo nome, la polizia vi si recò in forze, presumibilmente facendovi le solite perquisizioni a tappeto; e senz'alcun risultato, si capisce. Il suggerimento della signora Moro, di cercare a Roma una via Gradoli, non fu preso in considerazione; le si rispose, anzi, che nelle pagine gialle dell'elenco telefonico non esisteva. Il che vuol dire che non ci si era scomodati a cercarla, quella via, nemmeno nelle pagine gialle: poiché c'era.

All'appartamento di via Gradoli abitato dal sedicente ingegnere Borghi, si arriva finalmente, e per caso, alle 9,47 del 18 aprile: a tamponare una dispersione d'acqua, non a sorprendervi dei brigatisti. E qui è da notare che una specie di fatalità idrica incombe sulle Brigate rosse, non essendo quello di via Gradoli il solo caso in cui un covo viene scoperto per la disfunzione di un condotto. E del resto abbiamo parlato di spiriti, potremmo anche parlare di veggenti che nella vicenda hanno avuto un certo ruolo: perché non parlare della fatalità? Vi arrivarono primi i pompieri, naturalmente; e capirono e segnalarono di trovarsi in un covo. E a questo punto altro garbuglio, altro mistero: i giornalisti arrivarono prima della polizia; i carabinieri seppero della scoperta soltanto perché riuscirono a intercettare una comunicazione radio della polizia; il giudice inquirente apprese la notizia due ore dopo: non dalla polizia, ma dai carabinieri. E fu costretto, il giudice Infelisi, a ordinare il sequestro dei documenti trovati nel covo, a far sì che anche i carabinieri ne prendessero visione (ma il questore De Francesco nega di aver posto il veto a che i documenti li vedessero i carabinieri e dice di ignorare il sequestro ordinato dal giudice: contrasto rimasto irrisolto). Non si provvide, inoltre, al rilevamento delle impronte digitali nel covo; né pare sia stato prontamente e accuratamente inventariato e vagliato il materiale rinvenuto. Il qual materiale, a giudizio del dottor Infelisi, non apportava alcuna indicazione relativamente al luogo in cui poteva trovarsi Moro; ma sente il bisogno, il giudice, di mettere questo inquietante inciso: «almeno quello di cui io ho avuto conoscenza»: così aprendo come possibile il fatto che possa esserci stato del materiale sottratto alla sua conoscenza. Insomma: tutto quel che intercorre dal 18 marzo al 18 aprile intorno al covo di via Gradoli attinge all'inverosimile, all'incredibile: spiriti (che in una lettera inviata dall'onorevole Tina Anselmi alla Commissione ne appaiono molto meglio informati di quanto poi riferito dai partecipanti alla seduta), provvidenziale dispersione d'acqua (ma la Provvidenza aiutata, per distrazione o per volontà, da mano umana), assenza della più elementare professionalità, della più elementare coordinazione, della più elementare intelligenza.

E ancora abbiamo da fermarci su altri episodi. Sorvoliamo su quello del lago della Duchessa: in cui, non credendo al comunicato, e perdendo tempo a stabilirne l'inautentica-autenticità o l'autentica-inautenticità, si agì come credendoci, con conseguente distrazione e dispersione di forze; e fissiamoci per un momento su quello della tipografia Triaca.

La prima segnalazione, relativa a persone che gravitavano intorno alla tipografia, e comunque di persone sospettate di avere a che fare con le Brigate rosse, l'Ucigos la ebbe il 28 marzo. Ma passò giusto un mese prima che fosse in grado di farne rapporto alla Digos: il 29 aprile. Tanta lentezza crediamo dovuta principalmente a quello che il dottor Fariello (dell'Ucigos) chiama «pedinamento a intervalli»: che sarebbe il pedinare le persone sospette, a che non si accorgano di essere pedinate, quando sì e quando no. Il che equivale a non pedinarle affatto, poiché soltanto il caso può dare effetto a una siffatta vigilanza. Come se il recarsi in luoghi segreti, gli incontri clandestini e tutto ciò che s'appartiene all'occulto cospirare e delinquere, fosse regolato da abitudini ed orari. Né la possibilità che la persona si accorga di essere oggetto di vigilanza viene dall'assiduità con cui la si segue, ma dall'accortezza o meno con cui l'operazione viene eseguita.

Passa dunque un mese – e Moro sempre chiuso nella «prigione del popolo» – perché la segnalazione, resa più consistente dalla fortuna che finalmente arride al «pedinamento a intervalli», arrivi dall'Ucigos alla Digos. Il 1° maggio si ha cognizione della tipografia Triaca, in via Pio Foà. Lo stesso giorno, la Digos chiede di poter effettuare controlli telefonici, otto giorni dopo l'autorizzazione a perquisire. La perquisizione si sarebbe dovuta effettuare il 9, il giorno stesso in cui le Brigate rosse consegnano il cadavere di Moro: e perciò viene rimandata al 17. E qui si può anche essere d'accordo col dottor Fariello: che tanto valeva attendere ancora. Moro ormai assassinato, una vigilanza non ad intervalli, ma continua e sagace intorno alla tipografia avrebbe persino consentita la cattura di Moretti: ma tanto il dirigente dell'Ucigos che il questore De Francesco ammettono di aver dovuto precipitare l'operazione per «la pressione dell'opinione pubblica».

Dall'operazione al tempo stesso tardiva e precipitosa presso la tipografia Triaca dirama una rivelazione che ancora ci costringe a usare la parola incredibile: nella tipografia venivano rinvenute una stampatrice proveniente dal Raggruppamento Unità Speciali dell'Esercito e una fotocopiatrice proveniente dal ministero dei Trasporti. Per quanto riguarda la fotocopiatrice, nessun elemento si è riusciti ad acquisire per capire come dal ministero dei Trasporti sia finita nella tipografia delle Brigate rosse: il che può dare al Parlamento e all'opinione pubblica (quella che non preme per operazioni di parata e sa essere attenta) sufficiente idea delle difficoltà incontrate dalla Commissione. Per quanto riguarda la stampatrice, si sono avute sì delle risposte: ma non servono a formularne una sicura sull'iter della macchina dal Raggruppamento Unità Speciali (RUS) – che è poi parte del SISMI, e cioè dei servizi segreti con tal sigla rifondati sulla dissoluzione del SID – alla tipografia Triaca. Che nelle amministrazioni dello Stato sia uso alienare come «ferrivecchi» macchine che, irrisoriamente acquistate da privati, miracolosamente tornano a funzionare, può anche – nel disordine delle cose – ammettersi; ma che proprio vadano a finire in mano alle Brigate rosse, è un po' troppo; e merita una severa inchiesta.

Altro fatto da segnalare, sempre in relazione «alle disfunzioni, alle omissioni e alle conseguenti responsabilità verificatesi nella direzione e nell'espletamento delle indagini», è l'avere trascurato quello che sarebbe stato un vero e proprio filo conduttore per arrivare all'individuazione e alla cattura di un certo numero di brigatisti e, con tutta probabilità, al luogo in cui Aldo Moro era detenuto. A ciò noi arriviamo col senno del poi; ma la polizia avrebbe potuto e dovuto arrivarci col senno di allora. Dice l'allora questore di Roma De Francesco (e la sua convinzione è pienamente condivisa dal dottore Improta, che era stato a capo della divisione politica): «L'area dell'Autonomia è stata forse privilegiata nelle indagini, anche precedenti al sequestro dell'onorevole Moro, poiché ritenevo e sono tuttora convinto che si trattasse dell'area più pericolosa della capitale ... Sul problema dell'Autonomia fin dal primo giorno, cioè dal 16 marzo, ho insistito perché quella – a mio avviso – era l'area nella quale alcune unità delle Brigate rosse avevano potuto trovare un supporto essenziale». Ma non si riesce a vedere come la *privilegiasse*, come *insistesse*, se non devolveva sorveglianza alcuna ai capi del movimento, che pure conosceva benissimo. Noi ora sappiamo quel che allora il questore era in grado di sospettare, conseguentemente alle sue convinzioni, e di accertare: che i rapporti tra almeno due brigatisti e i «grossi esponenti» dell'Autonomia romana c'erano e si mantennero durante i cinquantacinque giorni e oltre. E si concretizzavano in incontri. Un'accorta sorveglianza – e sopratutto senza intervalli – di Piperno e Pace avrebbe consentito l'individuazione di Morucci e Faranda, i due brigatisti che avevano preso parte all'azione di via Fani, che con ogni probabilità continuavano a frequentare il luogo in cui Moro era detenuto e con tutta certezza ad avere incontri con coloro che lo detenevano. Ma a chi, in Commissione, si meravigliava non avere la polizia presa una così elementare misura, come quella di far sorvegliare i capi dell'Autonomia, il questore De Francesco rispondeva che mancava di uomini. E ne teneva impegnati più di 4.000 in operazioni di parata!

A questo breve catalogo di omissioni e disfunzioni va aggiunto come esemplare l'episodio riferito dall'allora comandante la Guardia di Finanza: il giorno 16, poco dopo l'azione di via Fani, «un individuo, fermo in via Sorelle Marchisio, ha notato due persone: una più magra, di statura 1,70-1,75, vestita con una uniforme di pilota civile, l'altra di corporatura robusta, tarchiata, più bassa, con barba folta. La prima sorreggeva la seconda per un braccio, stringendolo fortemente al disopra del gomito. Provenivano da via Pineta Sacchetti, angolo via Montiglio; hanno percorso un tratto di via Sorelle Marchisio, raggiunto via Marconi, svoltato verso via Cogoleto ... In quella zona c'è una clinica». Riversata subito l'informazione alla Digos, l'ordine di perquisire la clinica arrivò alla Guardia di Finanza «qualche settimana dopo». E tutto lasciava sospettare che quel che l'anonimo informatore aveva visto fosse da mettere in connessione con quel che pochi minuti prima era accaduto in via Fani.

Ci si chiede da che tanta estravaganza, tanta lentezza, tanto spreco, tanti errori professionali possano essere derivati. Si dice: l'impreparazione di fronte al fenomeno terroristico e, particolarmente, di fronte a un'azione così eclatante nei mezzi, nell'oggetto, negli scopi, come quella di via Fani. Ma non è una giustificazione convincente: abbiamo visto come si fosse in grado di segnalare subito un certo numero di brigatisti, alcuni dei quali siamo ora certi che hanno partecipato all'azione, e come si avessero precise convinzioni riguardo alle aree di complicità o di più o meno diretto sostegno. E si può anche ammettere una impreparazione più generale e remota di fronte a fatti delinquenziali che scaturiscono da associazioni protette dalla paura e dal silenzio dei cittadini, da un lato; dagli addentellati reali o supposti col potere, dall'altro. Ma non è che una spiegazione parziale. Bisogna, per il caso Moro, metterne avanti altre: che sono insieme politiche, psicologiche, psicanalitiche. Certamente quel che si fece di sbagliato – e che impedì si facessero più producenti e giuste azioni – fu in parte dettato dal condizionamento dei «media» (non diremmo dalla pressione dell'opinione pubblica: l'opinione pubblica, quando davvero c'è e si fa sentire, è meno informe, meno disponibile ad appagarsi di qualsiasi cosa: capace, insomma, di critica e di scelta): operazioni di parata, come (direbbe Machiavelli) da un «luogo alto» le giudica il dottor Pascalino (ma fece qualcosa, accorgendosene, per farle finire?). Queste operazioni, che per apparire, per rendersi a spettacolo, dovevano essere ben consistenti nell'impiego di uomini e di mezzi, bisogna ribadire che impedirono se ne facessero altre di necessarie, di essenziali, per una ponderata, continua e rapida investigazione. E senza dire (cioè dicendolo ancora) che nell'unico caso in cui fortuitamente le operazioni di parata avrebbero potuto raggiungere un effetto, non funzionarono: davanti alla porta chiusa dell'appartamento di via Gradoli, il 18 marzo.

Ma crediamo che l'impedimento più forte, la remora più vera, la turbativa più insidiosa sia venuta dalla decisione di non riconoscere nel Moro prigioniero delle Brigate rosse il Moro di grande accortezza politica, riflessivo, di ponderati giudizi e scelte, che si riconosceva (riconoscimento ormai quasi unanime: appunto perché come postumo, come da necrologio) era stato fino alle 8,55 del 16 marzo. Da quel momento Moro non era più se stesso, era diventato un altro: e se ne indicava la certificazione nelle lettere in cui chiedeva di essere riscattato, e sopratutto per il fatto che chiedeva di essere riscattato.

Abbiamo usato la parola *decisione*: formalmente imprecisa ma sostanzialmente esatta. Spontanea o di volontà, improvvisa o gradualmente insorgente, di pochi o di molti, è stata certamente una decisione – e per il fatto stesso che se ne poteva prendere altra. E ci rendiamo conto della impossibilità di provare documentalmente che una tale decisione – ufficialmente mai dichiarata – abbia potuto avere degli effetti a dir poco diluenti sui tempi e i modi dell'indagine. Possiamo anche ammettere che gli effetti non furono a livello di coscienza e di consapevolezza – e insomma di malafede; ma non si può non riconoscere – e basta rivedere la stampa di quei giorni – che si era stabilita un'atmosfera, una temperie, uno stato d'animo per cui in ciascuno ed in tutti (con delle sparute eccezioni) si insinuava l'occulta persuasione che il Moro *di prima* fosse come morto e che trovare vivo il Moro *altro* quasi equivalesse a trovarlo cadavere nel portabagagli di una Renault. Si parlò dapprima, a giustificare il contenuto delle sue lettere, di coercizioni, di maltrattamenti, di droghe; ma quando Moro cominciò insistentemente a rivendicare la propria lucidità e libertà di spirito («tanta lucidità almeno, quanta può averne chi è da quindici giorni in una situazione eccezionale, che non può avere nessuno che lo consoli, che sa che cosa lo aspetti»), si passò ad offrire compassionevolmente l'immagine di un Moro altro, di un Moro due, di un Moro non più se stesso: tanto da credersi lucido e libero mentre non lo era affatto. Il Moro due in effetti chiedeva fossero posti in essere, per salvare la propria vita, quegli stessi meccanismi che il Moro uno aveva, nelle sue responsabilità politiche e di governo, usati o approvati in deroga alle leggi dello Stato ma al fine di garantire tranquillità al Paese: «non una, ma più volte, furono liberati con meccanismi vari palestinesi detenuti ed anche condannati, allo scopo di stornare gravi rappresaglie che sarebbero poi state poste in essere, se fosse continuata la detenzione...». Simili meccanismi, di cui l'opinione pubblica non era al corrente, erano stati adoperati – evidentemente – nel silenzio del governo, dei partiti al governo, del Parlamento; e si poteva rispondere a Moro che tutt'altro che in silenzio, e anzi con sicuro clamore e perdita di prestigio e credibilità, vi si poteva ricorrere nel suo caso. Si preferì invece sminuire, invalidare e smentire i suoi argomenti da un punto di vista clinico invece che politico, relegandoli alla sua delirante condizione di prigioniero. Da ciò la nessuna importanza conferita dagli investigatori alle sue lettere. L'onorevole Cossiga, allora ministro dell'Interno, ha escluso nel modo più netto che sia stata tentata una decifrazione dei messaggi di Moro: «una decifrazione non fu fatta durante il sequestro. Procedevamo con metodi artigianali. Furono invece eseguite analisi linguistiche sui messaggi delle Brigate rosse...» (in che consistessero i metodi artigianali e quali risultati dessero le analisi linguistiche, lo si è intravisto anche allora). Ma lo stesso Cossiga, dopo aver detto che sulle lettere di Moro si possono esprimere «giudizi contrastanti ed anche dolorosi» finisce col riconoscere che in esse «Moro, nella sua lucidità, nella sua intelligenza, con tutti i suoi argomenti, aveva capito che era questo che in realtà volevano coloro che colloquiavano con lui: essere riconosciuti come parte che può essere fuori dello Stato, ma che è nella società e con la quale è possibile un rapporto dialettico». Appunto: e Moro, senza prescindere dalle sue convinzioni più radicate (che Cossiga ha ben riassunto: e si vedano, di Moro, le lezioni sullo Stato), non poteva che assecondarne il gioco, a guadagnar tempo e a darne alla polizia a che lo trovasse. Non si vede perché Moro, uomo di grande intelligenza e perspicacia, avrebbe dovuto comportarsi come un cretino: se gli era consentito di guadagnar tempo e di comunicare con l'esterno, di queste due favorevoli circostanze non poteva non approfittare. E anche se la speranza che manifestava era soltanto quella dello scambio, è da credere – in tutta ovvietà – che ne nutrisse altra: che le forze dell'ordine arrivassero al luogo in cui era segregato. Conseguentemente, deve aver tentato di dare qualche indicazione sul posto in cui si trovava: nascondendola, si capisce, cifrandola. Chiunque l'avrebbe tentato: a Moro invece, di fatto, questa capacità e questo intento sono stati pregiudizialmente negati. Ed era invece, per l'attenzione che sapeva dedicare alle parole, per l'uso anche tortuoso che sapeva farne, la persona più adatta a nascondere (per dirla pirandellianamente) tra le parole le cose.

La cifra dei suoi messaggi poteva, per esempio, essere cercata nell'uso impreciso di certe parole, nella disattenzione appariscente. Quando Cossiga e Zaccagnini, per dire delle condizioni in cui Moro si trovava, citano la frase di una sua lettera (quella, appunto, diretta a Cossiga ministro dell'Interno): «mi trovo sotto un dominio pieno ed incontrollato», è curioso non si accorgano che proprio questa contiene una incongruenza e che non definisce precisamente il tipo di dominio sotto cui Moro si trovava. Che vuol dire, infatti, «incontrollato»? Chi poteva o doveva controllare le Brigate rosse? E perciò appare attendibilissima (e specialmente dopo le rivelazioni degli ex brigatisti) la decifrazione che ci è stata suggerita: «mi trovo in un condominio molto abitato e non ancora controllato dalla polizia». E probabilmente anche le parole «sotto» e «sottoposto» erano da intendere come indicazione topografica. Ma nonché decifrare non si è voluto nemmeno essere attenti all'evidenza: come in quel «qui» – sfuggito forse all'autocensura che Moro non poteva non imporsi e certamente alla censura del-

190

le Brigate rosse – che inequivocabilmente è da leggere «a Roma» («si dovrebbe essere in condizioni di chiamare qui l'ambasciatore Cottafavi»). E non era indicazione da poco, considerando con quanto spreco lo si cercava fuori Roma. Non si è fatto alcun credito, insomma, all'intelligenza di Moro: da valutarla quanto meno superiore a quella dei suoi carcerieri. Si poteva, senza venir meno a posizioni di *fermezza*, continuare a dialogare con lui: sia pubblicamente – nell'opporre ragioni alle sue: che erano ragioni e non farneticazioni – sia segretamente – cercando nelle sue lettere quei messaggi che era probabile e possibile nascondessero. Gli esperti sono stati invece adibiti a studiare il linguaggio delle Brigate rosse: e non c'era bisogno di esperti per scoprirlo poveramente pietrificato, fatto di slogans, di «idées reçues» dalla palingenetica rivoluzionaria, di detriti di manuali sociologici e guerriglieri. E che l'italiano maneggiato dalle Brigate rosse sia di traduzione da altra o da altre lingue, è questione da lasciar cadere. L'italiano delle Brigate rosse è semplicemente, lapalissianamente, l'italiano delle Brigate rosse. Ipotesi di ben diverse «traduzioni» si possono formulare. Ma che allo stato attuale, e forse anche nel più vicino futuro, restano e resteranno come ipotesi. E si può anche muovere, nel formularle, da questa frase di una delle ultime lettere di Moro: «Con questa tesi si avalla il peggior rigore comunista ed a servi-

191

zio dell'unicità del comunismo»; frase cui finora non si è data l'importanza, l'attenzione e l'analisi che merita.

Le tesi cui Moro si riferisce sono quelle del non trattare, della fermezza: e si capisce che le attribuisca al peggior rigore comunista corso a sostegno della Democrazia Cristiana, partito che lui ben conosce come non rigoroso. Ma «l'unicità del comunismo» che cosa può voler dire? Non è possibile abbia voluto adombrare in questa espressione il sospetto, se non la certezza, di un qualche legame delle Brigate rosse col comunismo internazionale o con qualche paese di regime comunista?

La ricerca di un simile legame (e non necessariamente, s'intende, col comunismo e coi paesi comunisti, ma con quei paesi, regimi e governi che potevano e possono avere un qualche interesse alla «destabilizzazione» italiana) è tra i compiti demandati dal Parlamento alla Commissione, precisamente ai punti *g*) e *h*) della legge. La risposta, per quanto riguarda i collegamenti con gruppi terroristici stranieri, si può dare senza esitazione: ci sono stati, anche se non se ne conosce esattamente la frequenza, la continuità e la rilevanza. Ma sulle trame, i complotti, i collegamenti internazionali al di là e al di sopra degli avvicinamenti, comunicazioni e scambi dei gruppi terroristici tra loro, una risposta sicura non si può dare. E si capisce: le risposte sicure, in questo genere di cose, vengono alla distanza di anni, dagli archivi, sotto gli occhi dello storico. Possiamo dire che ci sono nomi di paesi stranieri che tornano con una certa frequenza, con una certa insistenza. E con più frequenza e insistenza quelli di paesi del Medio Oriente, della Cecoslovacchia, della Libia e – recentemente – della Bulgaria. Ma sono, per dirla col linguaggio degli uomini di governo cui la Commissione ne ha domandato, «voci». Si sarebbe portati a credere che non si basasse su «voci» l'onorevole Andreotti, allora presidente del Consiglio, quando al Senato, nella seduta del 18 maggio 1973, parlò di un paese in cui dei giovani italiani erano stati addestrati a un determinato tipo di guerriglia e quando, alle proteste del senatore Bufalini che credeva volesse alludere all'Unione Sovietica, precisò che si trattava della Cecoslovacchia. Si basava invece su «voci», se il 23 maggio 1980 dava alla Commissione una versione estremamente riduttiva di quel che sette anni prima, come presidente del Consiglio, aveva perentoriamente affermato: «Alcuni terroristi, infatti, che erano accusati di atti di terrorismo, risultò che fossero stati anche in Cecoslovacchia. In Cecoslovacchia, però, ci vanno decine di migliaia di persone, né risultò assolutamente che vi potesse essere un rapporto diverso di quello che può essere di ordine turistico». Evidentemente, l'onorevole Andreotti non aveva sentito la «voce» che, tra le decine di migliaia

193

d'italiani che vanno in Cecoslovacchia « en touriste », i servizi di sicurezza ne avevano selezionato 600 circa che potevano essere considerati meno turisti degli altri. E questa « voce » viene da un rapporto del CESIS (Comitato Esecutivo per i Servizi di Informazione e di Sicurezza), certamente redatto dopo il settembre 1979, che raccogliendo altre « voci » del SISMI, del SISDE e del Comando Generale dell'Arma dei Carabinieri, affermava: « almeno 2.000 italiani (dai rilevamenti effettuati da varie fonti) dal '48 ad oggi hanno frequentato corsi riservati ad attivisti estremisti, in Cecoslovacchia ed in altri Paesi. Di questi sono noti al SISMI circa 600 nominativi ». E riguardo alla Cecoslovacchia precisava: « In particolare a Milano e a Roma risiedono elementi italiani del servizio segreto cecoslovacco di contatto con i vari gruppi terroristici. Essi provvedono alla raccolta di un'accurata documentazione sui candidati, tutti volontari, che trasmettono all'Ambasciata cecoslovacca, che la inoltra successivamente a Praga. A questo punto gli elementi ritenuti di maggior spicco per fanatismo, aggressività e attitudine militare vengono avviati a veri e propri corsi paramilitari, in Cecoslovacchia o in altro paese, forniti di passaporti falsificati nelle nazioni ospiti. Una volta superato il ciclo addestrativo, i terroristi fanno ritorno in Italia con un bagaglio notevole di nozioni teoriche e pratiche sulla guerriglia, che possono a loro volta riversare sugli altri elementi delle organizzazioni di appartenenza». E se questo passo del rapporto, così particolareggiato, è da considerare una «voce», bisogna dire che CESIS, SISMI, SISDE e Arma dei Carabinieri non fanno che raccogliere «voci» ed essere non altro che «voci». Il che, per il contribuente italiano, è constatazione tutt'altro che rassicurante. O è da concludere come conclude il dottor Lugaresi, direttore del SISMI: «Su questi collegamenti internazionali vorrei dire questo: c'è un forte commercio di armi che non è facile colpire perché è come il commercio della droga: non investe tanto la matrice politica quanto la convenienza commerciale. C'è uno scambio di uomini fra coloro che hanno obiettivi di destabilizzazione comune. Potrà esserci un indirizzo di carattere politico-strategico. Ma queste deduzioni dalle informazioni singole che noi giornalmente forniamo non possono essere tratte che in sede politica...». Appunto.

È da notare a questo proposito che il generale Dalla Chiesa, che nella sua prima deposizione inclinava a considerare anche lui «voci» quel che si diceva riguardo ai collegamenti delle Brigate rosse con servizi segreti stranieri e a ritenere Moretti la personalità di vertice delle Brigate, a distanza di quasi due anni, nella seconda deposizione, a una domanda sulla persistenza delle sue convinzioni di allora, così rispondeva: «In questi giorni mi è sorto un dubbio ... Mi chiedo oggi (perché sono ormai fuori dalla mischia da un po' di tempo e faccio in qualche modo l'osservatore che ha alle spalle un po' di esperienza) dove sono le borse, dov'è la prima copia (del cosidetto memoriale Moro). Nulla che potesse condurre alle borse, non c'è stato brigatista pentito o dissociato che abbia nominato una cosa di questo tipo, né lamentato la sparizione di qualcosa ... Io penso che ci sia qualcuno che possa aver recepito tutto questo ... Dobbiamo pensare anche ai viaggi all'estero che faceva questa gente. Moretti andava e veniva ».

È rallegrante che il dubbio gli sia venuto; un po' meno che gli sia venuto al momento che si è trovato «fuori dalla mischia».

Un ultimo particolare si vuole mettere in evidenza, a dimostrare come la volontà di trovare Moro veniva inconsciamente deteriorandosi e svanendo. Subito dopo il rapimento, venne istituito un Comitato Interministeriale per la Sicurezza che si riunì nei giorni 17, 19, 29, 31 del mese di marzo; una sola volta in aprile, il 24; e poi nei giorni 3 e 5 maggio. Ma quel che è peggio è che il Gruppo politico-tecnico-operativo, presieduto dal ministro dell'Interno e composto da personalità del governo, dai comandanti delle forze di polizia e dei servizi di informazione e sicurezza, dal questore di Roma e da altre autorità di

Pubblica Sicurezza, si riunì quotidianamente fino al 31 marzo, ma successivamente tre volte per settimana. Solo che di queste riunioni dopo il 31 non esistono verbali e «non risultano agli atti nemmeno appunti». Ed era il gruppo – costituito con giusto intento – che doveva vagliare le informazioni, decidere le azioni, avviarle e coordinarle.

Roma, 22 giugno 1982

P.S. Consegnata nel giugno 1982 (poiché entro quel mese si era dapprima stabilito si dovessero consegnare le relazioni), questa mia relazione richiede oggi, sulle bozze, due rettifiche dovute a tardive acquisizioni da parte della Commissione: 1) l'iter delle due macchine rinvenute nella tipografia Triaca è stato finalmente ricostruito, per come si legge nella relazione di maggioranza. Va dunque ascritto alla fatalità che macchine alienate come ferrivecchi da enti di Stato siano finite, funzionanti, alle Brigate rosse; 2) il rapporto che era stato attribuito al CESIS si ritiene sia prodotto dal SISMI. Leggendolo, permane però l'impressione che provenga da un organismo di cui il SISMI era parte.

Stampato dal Consorzio Artigiano « L.V.G. » - Azzate

PICCOLA BIBLIOTECA ADELPHI

(ULTIMI VOLUMI PUBBLICATI)

690. Massimo Cacciari, *Icone della legge*
691. Novalis, *Gli discepoli di Sais*
692. Robert Walser, *I fratelli Tanner*
693. Eduardo Blanco-Amor, *Sottosopra di Lanterna*
694. J.A. Baker, *Il pellegrino*
695. Elias Canetti, *Sopravvissuti ogni momento tenuto in sconto un suo*
696. John Aubrey, *Vite*
697. Mark Epstein, *Bhagavadgita morra*
698. Gregor von Rezzori, *La circonnavigazione d'un branco*
699. J. Rodolfo Wilcock, *I pensabili di naufrago*
700. Gérard de Nerval, *La regina di Saaba*
701. Friedrich Hölderlin, *Giudizio e Essere, sull'essere*
702. Bruce Chatwin, *In cui ecco*
703. Jeanne Hersch, *Il mestiere della speranza di morte*
704. Lawrence Alma-Tadema, *I vizi*
705. Alfred Brendel, *Abbecenario di una nota*
706. William Beckford, *Biografia immaginaria*
707. Friedrich Dürrenmatt, *I lavori*
708. Marcel Schwob, *Vite immaginarie*
709. Françoise Sagan, *Bonjour tristesse*
710. Simone Campagnani, *La vedova del Monastero*
711. Jeanne Hersch, *I sentieri della speranza*
712. Jorge Luis Borges, *Altra Letteratura germanica medievale antologia*
713. Christopher Isherwood, *Mr Norris*
714. Bohumil Hrabal, *Una solitudine troppo*
715. Karl Kraus, *Riprova è meglio*
716. Augusto Cesella, *Corpo sole*
717. Paolo Maurensig, *Canone inverso*
718. Ernst Jünger, *Il nodo crittico*
719. Ryszard Kapuściński, *Un giorno in più*
720. Alan Bennett, *Nudi e crudi*
721. Elias Canetti, *Processo a Maria*
722. Julien Gracq, *I commossi di Sirte*
723. Karl Kraus, *Gli aforismi di Maestro vello*
724. J.A. Baker, *La cerca estate*
725. J.R. Ackerley, *La mia cagna*

PICCOLA BIBLIOTECA ADELPHI

ULTIMI VOLUMI PUBBLICATI:

640. Massimo Cacciari, *Il potere che frena*
641. Vasugupta, *Gli aforismi di Śiva*
642. Roberto Calasso, *L'impronta dell'editore*
643. Edgardo Franzosini, *Sotto il nome del Cardinale*
644. S.Y. Agnon, *Nel cuore dei mari*
645. Giorgio Pasquali, *Storia dello spirito tedesco nelle memorie d'un contemporaneo*
646. John McPhee, *Tennis*
647. Muriel Spark, *Bang bang sei morta*
648. Czesław Miłosz, *La testimonianza della poesia*
649. Carlo Emilio Gadda, *Un gomitolo di concause*
650. Gérard de Nerval, *La regina di Saba*
651. Friedrich Hebbel, *Giudizio Universale con pause*
652. Jorge Luis Borges, *La rosa profonda*
653. Gustav Theodor Fechner, *Il libretto della vita dopo la morte*
654. F. González-Crussí, *Organi vitali*
655. Alfred Brendel, *Abbecedario di un pianista*
656. Tullio Pericoli, *Pensieri della mano*
657. Friedrich Dürrenmatt, *La panne*
658. Alan Bennett, *Il vizio dell'arte*
659. Tanizaki Jun'ichirō, *Sulla maestria*
660. Antoine Compagnon, *Un'estate con Montaigne*
661. René Guénon, *Autorità spirituale e potere temporale*
662. Jorge Luis Borges - María Esther Vázquez, *Letterature germaniche medioevali*
663. Lady Mary Wortley Montagu, *Cara bambina*
664. Ennio Flaiano, *Il gioco e il massacro*
665. Cesare Garboli, *Tartufo*
666. Carlo Rovelli, *Sette brevi lezioni di fisica*
667. Danilo Kiš, *Il liuto e le cicatrici*
668. Joseph Conrad, *Un avamposto del progresso*
669. Alan Bennett, *Gente*
670. Elias Canetti, *Aforismi per Marie-Louise*
671. Ivan Bunin, *A proposito di Čechov*
672. Joseph Roth, *L'avventuriera di Montecarlo*
673. L.E.J. Brouwer, *Vita, arte e mistica*
674. Marella Agnelli, *La Signora Gocà*

675. Carlo Emilio Gadda - Goffredo Parise, *« Se mi vede Cecchi, sono fritto »*
676. Guido Ceronetti, *Tragico tascabile*
677. I.J. Singer, *Sender Prager*
678. Hugo von Hofmannsthal, *Le nozze di Sobeide · Il Cavaliere della Rosa*
679. Jorge Luis Borges, *Libro di sogni*
680. Edgardo Franzosini, *Questa vita tuttavia mi pesa molto*
681. Hervé Clerc, *Le cose come sono*
682. Geminello Alvi, *Eccentrici*
683. Louis-Ferdinand Céline, *Lettere alle amiche*
684. Robert Walser, *Sulle donne*
685. René Guénon, *Oriente e Occidente*

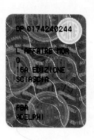

Piccola Biblioteca Adelphi
Periodico mensile: N. 332/1994
Registr. Trib. di Milano N. 180 per l'anno 1973
Direttore responsabile: Roberto Calasso